Novec

~ ~ ~ ~ ~ ~ ~ ~ ~

Es war immer das gleiche: irgend jemand hob
den Kopf ... und entdeckte es. Man kann das
schwer begreifen. Will sagen ... Wir waren mehr
als tausend Menschen auf dem Schiff, reiche
Leute auf Reisen, Auswanderer, seltsame Käuze,
und wir ... Einer war immer darunter, der es entdeckte. Mitten im Essen etwa oder bei einem

~ ~ ~ ~ ~ ~ ~ ~ ~

Spaziergang auf der Brücke, möglicherweise ne-
stelte er gerade an seiner Hose, hob dabei kurz
den Kopf, um einen Blick aufs Meer zu werfen ...
da sah er es. Wie angewurzelt blieb er stehen, das
Herz raste und jedesmal, jedes verdammte Mal,
ich schwöre es, wandte sich derjenige zu uns um,
dem Schiff und uns allen zu und sprach es aus
(leise und gemessen): Amerika. Und wie zu einer
Fotografie erstarrt blieb er dort stehen, mit einem
Gesichtsausdruck, als hätte er selbst es in Eigen-
arbeit gebaut: Amerika. So als hätte ihm abends
nach Feierabend und am Sonntag der Schwager,
ein gefälliger Mensch und zufällig Maurer, beim
Bauen geholfen, erst sollte etwas Bescheidenes
daraus werden, aus Sperrholz oder so, aber dann
ist es mit ihm durchgegangen, und auf einmal
wurde es ... Amerika.

Er also hatte Amerika als erster entdeckt. So
einen gibt es auf jedem Schiff. Man sollte nicht
denken, daß diese Dinge per Zufall geschehen ...
Auch ist es keine Frage der Dioptrien, es ist
Schicksal. So etwas passiert nur den Menschen,
bei denen es schon seit jeher in ihrem Lebenslauf
geschrieben steht. Hätte man ihnen in die Augen
geschaut, als sie noch Kinder waren, hätte man

~ ~ ~ ~ ~ ~ ~ ~ ~

ganz genau hingesehen, dann hätte man Amerika
schon darin entdecken können, wie es nur darauf
wartete herauszukommen, an Nerven und Blut-
bahnen heraufzugleiten, um dann – was weiß
ich – ins Hirn zu gelangen und von dort auf die
Zunge, hinein in diesen Ausruf *(jetzt laut)* AME-
RIKA, es war schon in diesen Kinderaugen vor-
handen, vollständig, Amerika.

Es war da und wartete.

So jedenfalls hatte es mir Danny Boodmann T.
D. Lemon Novecento erklärt, der beste Pianist,
der je auf einem Ozean gespielt hat. In den Augen
der Menschen steht geschrieben, was sie sehen
werden, nicht, was sie gesehen haben. So sagte
er: was sie sehen werden.

Wie oft hatte ich Amerika schon gesehen ...
Sechs Jahre auf dem Schiff, fünf, sechs Überfahrten im Jahr, von Europa nach Amerika und zurück, immer auf dem schwankenden Schiff;
wenn man an Land ging, konnte man nicht mal
mehr geradeaus ins Klo pinkeln. Das Klo stand
zwar still, aber man selbst schwankte immer
noch. Weil, von einem Schiff kann man wohl an
Land gehen, aber vom Ozean ... Mit siebzehn
war ich auf das Schiff gekommen. Das einzig

~ ~ ~ ~ ~ ~ ~ ~ ~

Wichtige im Leben war mir: Trompete zu spielen. Als dann bekannt wurde, daß sie für das Schiff, die *Virginian* unten im Hafen, Leute brauchten, hatte ich mich auch angestellt. Ich mit meiner Trompete. Das war im Januar 1927. Musiker haben wir schon genug, sagte der Mann von der Gesellschaft. Weiß ich, antwortete ich und begann zu spielen. Er stand da und sah mich fest an, ohne mit der Wimper zu zucken. Er wartete wortlos, bis ich aufhörte. Schließlich fragte er:

»Was war das?«

»Weiß ich nicht.«

Seine Augen blitzten auf.

»Wenn du nicht weißt, was das ist, dann ist es Jazz.«

Dabei machte er eine komische Mundbewegung, vielleicht sollte es ein Lächeln sein, er hatte einen Goldzahn mitten im Mund, und es sah aus, als hätte er ihn im Schaufenster ausgestellt, um ihn zu verkaufen.

»Die da oben sind ganz verrückt nach der Musik.«

Da oben sollte heißen, auf dem Schiff. Und was so ähnlich wie ein Lächeln aussah, sollte heißen, daß sie mich genommen hatten.

~ ~ ~ ~ ~ ~ ~ ~ ~

Wir spielten drei-, viermal am Tag. Erst für die reichen Gäste der Luxusklasse, dann für die zweite Klasse, und hin und wieder gingen wir auch zu den armen Emigranten und spielten für sie, aber nicht in Uniform, sondern wie es gerade kam, und manchmal spielten wir auch gemeinsam. Wir spielten, weil der Ozean so beängstigend groß war, wir spielten, damit die Menschen nicht merkten, wie die Zeit verging, damit sie vergaßen, wo sie waren und wer sie waren. Wir spielten, damit sie tanzten, denn wer tanzt, stirbt nicht und fühlt sich wie ein Gott. Wir spielten Ragtime, weil Gott – wenn ihm niemand zuschaut – zu dieser Musik tanzt.

Wenn Gott ein Schwarzer ist, tanzt er dazu.

(Der Sprecher verläßt die Bühne. Eine fröhliche und ziemlich dümmliche Dixiemusik setzt ein. Der Sprecher tritt in der eleganten Uniform der Schiffsmusiker wieder auf. Von jetzt an benimmt er sich so, als wäre die Band tatsächlich auf der Bühne.)

Ladies and Gentlemen, meine Damen und Herren, Signore e Signori ... Mesdames et Messieurs,

~ ~ ~ ~ ~ ~ ~ ~ ~

willkommen auf diesem Schiff, in dieser schwimmenden Stadt, die in jeder Hinsicht der *Titanic* gleicht, ganz ruhig, bleiben Sie sitzen, der Herr da unten hat schon mal auf Holz geklopft, ich hab's genau gesehen, willkommen auf dem Ozean, à propos, was machen Sie eigentlich hier? Eine Wette, Ihnen waren die Gläubiger auf den Fersen, oder rennen Sie mit dreißig Jahren Verspätung den Goldgräbern hinterher, wollten Sie vielleicht das Schiff besichtigen und haben nicht bemerkt, daß es ablegte, oder haben Sie nur kurz die Wohnung verlassen, um Zigaretten zu holen und Ihre Frau ist womöglich gerade bei der Polizei und sagt: »Ein guter Ehemann war er, völlig normal, in dreißig Jahren nicht einen Streit«? ... Also, was zum Teufel suchen Sie hier, dreihundert Meilen von jeglicher Scheißwelt entfernt und zwei Minuten vom nächsten Kotzen? Pardon, Madame, es war nur ein Scherz, Sie können ganz beruhigt sein, dieses Schiff läuft wie eine Kugel auf dem Billardtisch des Ozeans, tack, noch sechs Tage, zwei Stunden und siebenundvierzig Minuten und, plop, ins Loch, New Yoooork!

(Band im Vordergrund)

~ ~ ~ ~ ~ ~ ~ ~ ~

Es ist, glaube ich, überflüssig, Ihnen zu erklären, daß dieses Schiff in mancherlei Hinsicht ein außergewöhnliches und letztendlich einzigartiges Schiff ist. Unter dem Kommando von Kapitän Smith, der bekanntlich an Klaustrophobie leidet, ein schlauer Kopf (Sie haben sicher bemerkt, daß er in einem der Rettungsboote wohnt), ist für Sie eine absolut einzigartige Profi-Mannschaft tätig: Paul Siezinskj, Steuermann, polnischer Ex-Priester mit übersinnlichen Kräften, Handaufleger, leider blind ... Bill Joung, Funker, begnadeter Schachspieler, Linkshänder, stottert ... der Schiffsarzt Dr. Klausermanspitzwegensdorfentag, Pech für Sie, falls Sie ihn dringend rufen müssen, bei dem Namen ... aber vor allem:

Monsieur Pardin,

Chefkoch,

direkt aus Paris zu uns gekommen, wohin er allerdings gleich wieder zurückgekehrt ist, nachdem er sich persönlich davon überzeugen konnte, daß dieses Schiff keine Küche besitzt, was unter anderen auch von Monsieur Camembert, Kabine 12, scharfsinnig beobachtet wurde, der sich heute darüber beschwert hat, daß sein Waschbecken voller Mayonnaise war, seltsam eigentlich, denn

~ ~ ~ ~ ~ ~ ~ ~ ~

normalerweise verwahren wir den Aufschnitt in den Waschbecken, was darauf zurückzuführen ist, daß es auf diesem Schiff keinen richtigen Koch gibt, wie es zweifellos Monsieur Pardin einer ist, der gleich nach Paris zurückgekehrt ist, von wo er hergekommen war in dem Glauben, hier eine Küche vorzufinden, die es aber – um der Wahrheit die Ehre zu geben – nicht gibt, dank der Vergeßlichkeit des Konstrukteurs dieses Schiffes, dem ehrenwerten Ingenieur Camilleri, Hungerleider von Weltruf, an den Sie bitte Ihren herzlichen Applaus richten wollen. Applaaaaus!

(Band im Vordergrund)

Glauben Sie mir, so ein Schiff werden Sie nie mehr finden. Mag sein, wenn Sie lange genug suchen, daß Sie tatsächlich ein Schiff ohne Küche mit einem klaustrophobischen Kapitän, einem blinden Steuermann, einem stotternden Funker und einem Doktor mit einem unaussprechlichen Namen finden werden, das mag sein! Aber was Ihnen nie wieder passieren wird, und darauf können Sie schwören, ist, mit dem Hintern auf zehn Zentimetern Sessel und Hunderten von Metern

~ ~ ~ ~ ~ ~ ~ ~ ~

Wasser zu sitzen, inmitten des Ozeans, vor den
Augen das Wunder, in den Ohren das Unglaub-
liche, in den Füßen den Rhythmus und im Herzen den Sound der einzigen, unnachahmlichen,
unendlichen ATLANTIC JAZZ BAAAAND!!!!!

*(Band im Vordergrund. Der Sprecher stellt die
Musiker einzeln vor. Zu jedem Namen ein kurzes
Solo.)*

An der Klarinette: Sam »Sleepy« Washington!
    Am Banjo: Oscar Delaguerra!
    Die Trompete spielt Tim Tooney!
    Posaune: Jim Jim »Breath« Gallup!
    An der Gitarre: Samuel Hockins!
    Und schließlich, am Klavier: ... Danny Bood-
mann T. D. Lemon Novecento.
    Der Größte.

*(Die Musik bricht abrupt ab. Der Sprecher redet
normal weiter und legt dabei die Musikerklei-
dung ab.)*

Der Größte, wahrhaftig. Wir machten einfach
Musik, aber bei ihm war es etwas anderes. Was

~ ~ ~ ~ ~ ~ ~ ~ ~

er spielte ... Das existierte noch gar nicht, bevor er es spielte, okay? Das gab es sonst nirgends. Und wenn er vom Klavier aufstand, war es vorbei, für immer ... Danny Boodmann T. D. Lemon Novecento. Als ich ihn das letztemal sah, saß er auf einer Bombe. Im Ernst. Er saß auf einer riesigen Dynamitladung. Eine lange Geschichte ... Er sagte: »Solange du eine gute Geschichte auf Lager hast und jemanden, dem du sie erzählen kannst, bist du noch nicht am Ende.« Er hatte eine ... eine gute Geschichte. Es war seine *eigene* gute Geschichte. Verrückt, genau betrachtet, aber schön ... Und an dem Tag, als er auf dem Dynamit saß, hat er sie mir geschenkt. Weil ich sein bester Freund war ... Ich habe im Leben so viele Dummheiten gemacht, selbst wenn man mich auf den Kopf stellt, würde mir nichts aus den Taschen fallen, sogar die Trompete mußte ich verkaufen, alles, aber ... diese Geschichte, nein, die hab ich nie verloren, die ist noch da, ganz deutlich und so unerklärlich wie die Musik vom Zauberklavier, wenn Danny Boodmann T. D. Lemon Novecento darauf spielte.

~ ~ ~ ~ ~ ~ ~ ~ ~

*(Der Sprecher geht nach hinten ab. Die Band
spielt das Finale. Mit dem letzten Akkord kehrt
der Sprecher auf die Bühne zurück.)*

Gefunden hatte ihn ein Matrose namens Danny
Boodmann. Er fand ihn eines Morgens in einem
Pappkarton, als in Boston alle das Schiff zum
Landgang verlassen hatten. Er war höchstens
zehn Tage alt. Er weinte nicht, lag still, mit geöff-
neten Augen, in dem Karton. Man hatte ihn im
Tanzsaal der ersten Klasse abgelegt. Auf dem
Klavier. Wie ein Neugeborenes erster Klasse sah
er allerdings nicht aus. Meist waren es Auswanderer, die so was taten. Heimlich irgendwo unter
der Brücke entbinden und das Neugeborene lie-
genlassen. Nicht aus Schlechtigkeit machten sie
das. Aus Not, aus tiefstem Elend. Genau wie die
Sache mit den Kleidern ... Die Auswanderer kamen mit Flicken am Hintern an Bord, mit ganz
zerschlissenen Kleidern, den einzigen, die sie be-
saßen. Aber wenn sie am Ende der Reise von
Bord gingen – Amerika ist schließlich Amerika –,
waren sie alle gut angezogen, die Männer sogar
mit Krawatte und die Kinder mit wunderbaren
weißen Blusen, na ja, sie waren sehr tüchtig, und

~ ~ ~ ~ ~ ~ ~ ~ ~

in den zwanzig Tagen der Überfahrt schnitten
und nähten sie immerzu, bis es keine Gardinen
und keine Bettlaken mehr gab auf dem Schiff,
keinen Fetzen Stoff mehr: sie hatten sich Sonn-
tagskleider für Amerika draus gemacht. Für die
ganze Familie. Wie hätte man ihnen das übelneh-
men können ...

Und manchmal kam es eben auch vor, daß ein
Kind geboren wurde, was für einen Auswanderer
bedeutete, ein Maul mehr stopfen zu müssen und
sich auf einen Haufen Ärger mit den Einwande-
rungsbehörden einzurichten. Deshalb ließen
manche das Neugeborene auf dem Schiff zurück.
Im Tausch gegen Gardinen und Bettlaken gewis-
sermaßen. Mit diesem Kind muß es auch so gewesen sein. Sie werden sich gedacht haben: Wir
legen es auf das Klavier im Tanzsaal der ersten
Klasse, vielleicht kommt es zu einer reichen Familie und hat ein glückliches Leben. Ein guter
Plan, der sogar zur Hälfte funktionierte. Reich
wurde der Junge nicht, aber Pianist. Der beste,
ich schwör's, der beste von allen.

Nun gut. Der alte Boodmann also fand ihn dort
und schaute nach, ob irgendwo stand, wie er
hieß. Er fand lediglich, was auf dem Pappkarton

~ ~ ~ ~ ~ ~ ~ ~ ~

in blauer Tinte stand: T. D. Limoni. Daneben war
eine Zitrone gemalt, ebenfalls blau. Danny war
ein Schwarzer aus Philadelphia, ein Hüne von
einem Mann. Er nahm das Kind auf den Arm
und sagte zu ihm: »Hello Lemon!« Dabei über-
kam ihn das Gefühl, soeben Vater geworden zu
sein. Von da an behauptete er sein ganzes weite-
res Leben lang, daß dieses T. D. ganz offensichtlich »Thanks, Danny« bedeutet. Danke, Danny.
Das war natürlich absurd, aber er glaubte es ganz
fest. *Ihm* hatten sie dieses Kind dort hingelegt.
Eines Tages brachte man ihm eine Zeitung mit
einer Werbeanzeige, in der ein Mann mit einem
idiotischen, aufgedunsenen Gesicht und einem
ganz dünnen Schnurrbart à la Latin Lover abge-
bildet war. Daneben eine große, dicke Zitrone,
und darunter stand: Tano Damato, der Zitronen-
könig, Tano Damatos königliche Zitronen mit
weiß ich was für einem Gütesiegel oder Zertifikat
oder so ... Tano Damato. Der alte Boodmann
zeigte keinerlei Regung. »Was soll ich mit diesem
Arschgesicht?« Er nahm die Zeitung an sich,
denn neben der Anzeige standen die Wettergeb-
nisse vom Pferderennen. Nicht daß er setzte: Er
mochte die Namen der Pferde, es war eine echte

~ ~ ~ ~ ~ ~ ~ ~ ~

Leidenschaft von ihm, er sagte immer: »Hör mal diesen Namen, hör mal jenen, weißt du, wie das Pferd heißt, das gestern in Cleveland gelaufen ist, *Streithansel*, stell dir vor, ist das denn die Möglichkeit? Und dieses? Guck mal, *Je-früher-je-besser*, ist das nicht zum Schreien?«, also, sie gefielen ihm eben, die Pferdenamen, das war nun mal seine Leidenschaft. Welches Pferd gewann, interessierte ihn einen Scheißdreck. Ihm gefielen bloß die Namen.

Dem Kind gab er erst einmal seinen eigenen Namen: Danny Boodmann. Die einzige Eitelkeit, die er sich im ganzen Leben leistete. Dann fügte er T. D. Lemon hinzu, genauso, wie es auf dem Pappkarton gestanden hatte, er war der Meinung, es mache was her, einzelne Buchstaben im Namen zu haben. »Alle Rechtsanwälte haben das«, bestätigte ihm Burty Bum, einer der Maschinisten, der einem Anwalt namens John P. T. K. Wonder einen Knastaufenthalt zu verdanken hatte. »Falls er Anwalt wird, bring ich ihn um«, befand der alte Boodmann, aber die beiden Initialen ließ er dann doch in dem Namen, und so kam Danny Boodmann T. D. Lemon zustande. Ein wirklich schöner Name. Sie tüftelten noch ein bißchen daran herum und sagten ihn immer wieder leise her, der alte Danny und die anderen unten im Maschinenraum; die Maschinen waren abgestellt, denn man dümpelte im Hafen von Boston. »Ein schöner Name«, stellte Danny Boodmann abschließend fest, »aber irgendwas fehlt noch. Ihm fehlt noch das große Finale.« Es stimmte. Ihm fehlte das große Finale. »Fügen wir doch Dienstag hinzu«, sagte Sam Stull, einer der Kellner, »am Dienstag hast du ihn gefunden, nenn ihn Dienstag.« Danny dachte eine Zeitlang darüber nach. Dann lächelte er. »Die Idee ist gut, Sam. Ich habe ihn im ersten Jahr dieses neuen beschissenen Jahrhunderts gefunden, nicht? Ich werde ihn Novecento nennen.« »Novecento?« »Novecento!« »Aber das ist doch eine Zahl!« »Das *war* eine Zahl. Jetzt ist es ein Name.« Danny Boodmann T. D. Lemon Novecento. Perfekt. Wunderschön. Ein toller Name, Herrgott noch mal, wirklich ein ganz toller Name. Er wird es weit bringen mit so einem Namen. Sie beugten sich über den Pappkarton. Danny Boodmann T. D. Lemon Novecento schaute sie lächelnd an. Sie standen da wie die Ölgötzen: Sie hatten nicht damit gerechnet, daß so ein kleines Kind so eine Menge scheißen konnte.

~ ~ ~ ~ ~ ~ ~ ~ ~

Danny Boodmann war noch acht Jahre, zwei Monate und elf Tage lang Matrose. Während eines Orkans rasselte ihm mitten auf dem Ozean die Spule eines Flaschenzugs ins Kreuz. Er brauchte drei Tage, um zu sterben. Er hatte innere Verletzungen und man konnte ihn nicht wieder zusammenflicken. Novecento war noch ein Kind. Er setzte sich zu Danny ans Bett und rührte sich nicht von dort weg. Er brachte einen Stoß alter Zeitungen mit, und drei Tage lang las er mit einer Wahnsinnsmühe dem alten Danny, der dabei war, ins Gras zu beißen, die Ergebnisse von allen Pferderennen vor, die er finden konnte. So, wie Danny es ihm beigebracht hatte, reihte er die Buchstaben aneinander, indem er mit dem Finger über das Zeitungsblatt fuhr und die Augen nicht davon abwandte. Es las langsam, aber er las. So kam es, daß Danny beim sechsten Rennen von Chicago, gewonnen von *Trinkwasser* mit zwei Längen Vorsprung auf *Gemüsesuppe* und fünf Längen auf *Blaues Makeup* starb. Tatsache ist, daß er sich das Lachen nicht verbeißen konnte bei diesen Namen, und so platzte er. Sie schlugen ihn in ein Leintuch und gaben ihn dem Ozean zurück. Auf das Lein-

~ ~ ~ ~ ~ ~ ~ ~ ~

tuch schrieb der Kapitän mit roter Farbe:
Thanks, Danny.

So wurde Novecento zum zweitenmal Waise.
Er war acht Jahre alt und war schon etwa fünf-
zigmal zwischen Europa und Amerika hin- und
hergefahren. Der Ozean war sein Zuhause. Und
was das Festland betraf, nun, er hatte nie einen
Fuß darauf gesetzt. Gesehen hatte er es wohl,
vom Hafen aus, klar. Aber an Land gegangen
war er nie. Danny hatte Angst gehabt, man
würde ihn ihm wegnehmen, wegen der fehlenden
Ausweise und Visa und solcher Sachen. Deshalb
blieb Novecento immer an Bord, und irgendwann
legte das Schiff wieder ab. Um genau zu sein: Novecento gab es eigentlich gar nicht. Er war nirgends eingetragen, bei keiner Gemeinde oder
Pfarrei, in keinem Krankenhaus, keinem Gefängnis, in keiner Baseballmannschaft tauchte
sein Name auf. Er hatte kein Vaterland, kein Ge-
burtsdatum und keine Familie. Er war acht Jahre
alt, aber offiziell war er gar nicht geboren.

»Das kann so nicht weitergehen«, bekam
Danny bisweilen zu hören. »Zudem ist es auch
gegen das Gesetz.« Danny gab immer die gleiche
Antwort, die unwiderlegbar war: »In den Arsch

~ ~ ~ ~ ~ ~ ~ ~ ~

mit dem Gesetz«, sagte er. Nach einem solchen Ausspruch gab es nicht mehr viel zu diskutieren.

Als sie am Ende der Überfahrt, bei der Danny gestorben war, in Southampton anlegten, beschloß der Kapitän, daß es nun an der Zeit sei, mit dem Versteckspiel aufzuhören. Er rief die Hafenpolizei und schickte nach Novecento. Nur, man fand ihn nicht. Das gesamte Schiff wurde abgesucht, zwei Tage lang. Nichts. Er war verschwunden. Sie schluckten alle schwer daran, denn, alles in allem hatten sie sich auf der *Virginian* an den Jungen gewöhnt; niemand traute sich, es auszusprechen, aber … es gehörte nicht viel dazu, sich über Bord zu stürzen … und das Meer macht, was es will, und … Sie spürten alle den Tod im Herzen, als sie zweiundzwanzig Tage später in Richtung Rio de Janeiro ablegten, ohne daß Novecento wieder aufgetaucht wäre oder daß man etwas über seinen Verbleib erfahren hätte … Leuchtsterne, Sirenen und Feuerwerk, es war wie jedesmal beim Ablegen, und doch war es diesmal anders, denn sie waren im Begriff, Novecento aufzugeben, endgültig zu verlieren, etwas ließ ihr Lächeln einfrieren und nagte an ihren Herzen.

~ ~ ~ ~ ~ ~ ~ ~ ~

In der zweiten Nacht der Überfahrt, als die Lichter der irischen Küste kaum mehr zu erkennen waren, stürzte Barry, der Bootsmann, wie ein Besessener in die Kapitänskajüte, weckte den Kapitän und bestand darauf, ihm etwas zu zeigen. Der Kapitän fluchte und ging mit.

In den Tanzsaal der ersten Klasse.

Finsternis.

Passagiere im Schlafanzug standen im Eingang. Immer neue kamen aus ihren Kabinen gelaufen.

Auch Matrosen, darunter drei schwarz verschmierte aus dem Maschinenraum, sowie Truman, der Funker. Alle schauten stumm.

Novecento.

Er saß Beine baumelnd auf dem Klavierstuhl, seine Füße reichten nicht einmal bis auf den Boden.

Und,

so wahr es einen Gott gibt,

er spielte Klavier.

(Ein Klavier spielt eine einfache, zarte, betörende Melodie.)

~ ~ ~ ~ ~ ~ ~ ~ ~

Zum Teufel, er spielte, und zwar eine Melodie, eine einfache und … schöne Melodie. Es war kein Trick dabei, er war es wirklich und spielte mit seinen Händen auf diesen Tasten, bei Gott! Wie das klang, unfaßbar. Eine Dame im rosaroten Morgenmantel, mit Klämmchen in den Haaren … bestimmt eine Reiche, wahrscheinlich die Frau eines amerikanischen Versicherungsagenten … also, der rollten dicke Tränen über die Nachtcreme, sie schaute und weinte und hörte gar nicht mehr auf. Als der Kapitän plötzlich neben ihr stand, baff vor Staunen, buchstäblich baff stand er neben ihr, zog sie die Nase hoch, zeigte auf das Klavier und fragte:

»Wie heißt es?«

»Novecento.«

»Nicht das Stück. Das Kind.«

»Novecento.«

»So wie das Stück?«

Einem solchen Dialog war ein Schiffskapitän nicht länger als ein paar Sätze gewachsen. Vor allem, nachdem er soeben entdeckt hatte, daß ein totgeglaubtes Kind nicht nur nicht tot war, sondern inzwischen auch gelernt hatte, Klavier zu spielen. Er ließ die Reiche, wo sie war, mit ihren

~ ~ ~ ~ ~ ~ ~ ~ ~

Tränen und allem anderen und durchquerte ent-
schlossenen Schrittes den Saal: Pyjamahose und
Offiziersjackett ungeknöpft. Am Klavier machte
er halt. Er hätte vieles zu sagen gehabt in dem
Moment, zum Beispiel: »Wo zum Teufel hast du
das gelernt?« oder auch: »Wo, verdammt noch
mal, hast du dich versteckt?« Aber, wie so viele
Menschen, die es gewohnt sind, in Uniform zu leben, *dachte* er letztlich auch in Uniform. Und
sprach: »Novecento, das verstößt absolut gegen
die Vorschrift.«

Novecento hörte auf zu spielen. Er war kein
Junge, der große Worte machte, aber er hatte eine
beachtliche Auffassungsgabe. Er schaute den
Kapitän sanft an und sagte: »In den Arsch mit
den Vorschriften.«

(Geräusche von Orkan und Unwetter)

Das Meer ist erwacht / das Meer ist entgleist /
Wasser schleudert zum Himmel empor / birst /
stürzt / entreißt dem Sturm Wolken und Sterne /
wütend / entfesselt / wie lange noch / man weiß
es nicht / es dauert einen Tag / es wird vorbeige-
hen / Mama / so hattest du es mir nicht erzählt,

~ ~ ~ ~ ~ ~ ~ ~ ~

Mama / ein Wiegenlied / wie das Meer dich schaukelt / gar nichts schaukelt / entfesselt ist alles umher / Schaum und Angst / verrücktes Meer / wohin du schaust / nur Dunkel / schwarze Wände / Strudel / alle stumm / aufs Ende warten / und untergehen / Mama, ich will nicht / das Wasser soll still sein / dich spiegeln / ruhen / sollen / diese / absurden Wände / aus Wasser / herunterfließen / von diesem Lärm /

Ich will das Wasser so wiederhaben, wie du es kanntest

Ich will das Meer zurück

Ruhe

Licht

Und fliegende Fische

Darüber.

Die erste Überfahrt, der erste Orkan. Scheiße. Ich kannte mich noch gar nicht richtig aus, da mußte ich schon eines der schlimmsten Unwetter in der Geschichte der *Virginian* miterleben.

Mitten in der Nacht kam es über uns und brach los. Das Meer. Es wollte gar nicht mehr aufhören. Nun ist es so, daß einer, der als Trompeter auf einem Schiff ist, nicht viel tun kann, wenn so ein

~ ~ ~ ~ ~ ~ ~ ~ ~

Unwetter kommt. Er kann gerade mal davon ab-
sehen, ausgerechnet jetzt Trompete zu spielen,
um die Dinge nicht zusätzlich zu komplizieren.
Und ruhig liegen bleiben, in seiner Koje. Ich
konnte es darin nicht mehr aushalten. Da ist
leicht gesagt, lenk dich ab, früher oder später, da
kannst du drauf wetten, wird dir klar, daß du hier
enden wirst wie eine Maus. Ich wollte aber nicht
wie eine Maus enden, verließ deshalb die Kabine
und irrte umher. Keine Ahnung, wohin ich sollte,
ich war erst seit vier Tagen auf diesem Schiff und
war schon froh, daß ich wenigstens den Weg zum
Klo kannte. Solche Schiffe sind wie schwim-
mende kleine Städte. Wahrhaftig. Es kam, wie es
kommen mußte, ich lief hierhin und dahin,
schlug per Zufall diesen und dann jenen Weg ein,
und am Ende hatte ich mich natürlich verlaufen.
Vorbei! Endgültig im Arsch! In dem Augenblick
bemerkte ich einen elegant gekleideten Mann im
dunklen Anzug, wie er ganz gelassen daherkam
und überhaupt nicht den Eindruck machte, als
hätte er sich verlaufen, ja, er schien nicht einmal
das Schlagen der Wellen zu bemerken, er machte
eher den Eindruck, als ginge er auf der Prome-
nade von Nizza spazieren: Es war Novecento.

~ ~ ~ ~ ~ ~ ~ ~ ~

Er war damals siebenundzwanzig, sah aber
älter aus. Ich kannte ihn kaum: In den vier Tagen
hatte ich zusammen mit ihm in der Band gespielt,
das war alles. Ich wußte auch nicht, wo er seine
Kabine hatte. Die anderen hatten mir allerdings
von ihm erzählt. Etwas Seltsames hatten sie gesagt. Sie sagten: Novecento war noch nie weg von
hier. Er ist auf dem Schiff geboren, und seitdem
ist er hier. Immer hier gewesen. Siebenundzwanzig Jahre lang, ohne je einen Schritt an Land zu
setzen. So, wie sie das sagten, klang es wie eine
kolossale Verarschung. Sie erzählten auch, er
spiele eine Musik, die es gar nicht gab. Was ich
wohl wußte, war, daß jedesmal im Tanzsaal, bevor wir spielten, Fritz Hermann – ein Weißer, der
von Musik keine Ahnung hatte, aber gut aussah
und deshalb der Bandleader war – zuallererst zu
Novecento ging und ihm zuraunte: »Bitte, Novecento, nur die gewöhnlichen Töne, okay?«

Novecento nickte dann und spielte die gewöhnlichen Töne, wobei er vor sich hin starrte,
ohne je auf seine Hände zu schauen, er wirkte
völlig abwesend. Heute weiß ich, daß er wirklich
ganz woanders war. Aber damals wußte ich das
nicht, ich hielt ihn einfach für etwas kauzig.

~ ~ ~ ~ ~ ~ ~ ~ ~

In jener Nacht, mitten in dem Unwetter, traf er auf mich, der ich totenbleich in irgendeinem Korridor herumirrte, schaute mich wie ein freundlicher Urlaubsreisender lächelnd an und sagte: »Komm!«

Nun, wenn jemand, der auf einem Schiff die Trompete bläst, mitten in einem Unwetter einen trifft, der ihm sagt: »Komm!«, dann kann der, der die Trompete bläst, nur eins tun: ihm folgen. Ich folgte ihm. Er schritt voraus. Ich … bei mir war es anders, ich hatte nicht seinen sicheren Gang, jedenfalls gelangten wir in den Tanzsaal, und während ich hin- und hergeschleudert wurde – nur ich, natürlich, denn er hatte offensichtlich Schienen unter den Füßen – gelangten wir in die Nähe des Klaviers.

Niemand war in der Nähe. Fast dunkel war es, nur hier und da ein Schimmer. Novecento zeigte auf die Füße des Klaviers.

»Nimm die Feststeller weg.« Das Schiff tanzte, daß es eine Freude war, man konnte sich kaum auf den Beinen halten, und in so einer Lage sollte ich auch noch die blockierten Rollen lösen, das hatte doch überhaupt keinen Sinn.

»Wenn du mir vertraust, nimm sie weg.«

~ ~ ~ ~ ~ ~ ~ ~ ~

»Er ist verrückt«, dachte ich und nahm sie weg.

»Komm her und setz dich«, sagte Novecento zu mir.

Ich begriff nicht, was er vorhatte, ich kapierte es nicht im geringsten. Ich versuchte, das Klavier festzuhalten, weil es anfing zu rutschen wie ein riesiges Stück Schmierseife ... Ich schwöre, es war eine Scheißsituation, bis über den Hals steckte ich im Orkan, dazu noch zusammen mit diesem Verrückten auf seinem Klavierhocker – auch so ein Stück Schmierseife – dessen Hände fest auf der Tastatur lagen.

»Entweder setzt du dich jetzt hierher, oder du setzt dich nie wieder«, sagte der Verrückte freundlich lächelnd. *(Er nimmt auf einem Sitz Platz, einem Zwischending zwischen einer Schaukel und einem Trapez.)*

»Okay, fahren wir zur Hölle, okay? Was haben wir schon zu verlieren? Ich setze mich auf deinen blöden Hocker, so, da sitze ich, und nun?«

»Und nun mußt du keine Angst haben.«

Und er begann, Klavier zu spielen.

(Ein Klaviersolo setzt ein. Es ist eine Art Walzertanz, sanft und zärtlich. Der Sitz beginnt zu

~ ~ ~ ~ ~ ~ ~ ~ ~

*schaukeln und trägt den Schauspieler über die
Bühne. Während er in der Erzählung fortfährt,
schwingt der Sitz immer weiter vor und zurück,
bis an die Kulisse heran.)*

Nun, niemand ist verpflichtet, das zu glauben,
ich selbst – wenn ich ehrlich bin – würde es nie
und nimmer glauben, wenn man es mir erzählte,
aber die Wahrheit ist, daß das Klavier auf dem
Parkett des Tanzsaals zu gleiten begann, und wir
glitten ihm hinterher, während Novecento spielte.
Er hob den Blick nicht von den Tasten, schien an-
derswo zu sein, und das Klavier folgte den Wellen, kam und ging, drehte sich um sich selbst,
glitt geradewegs auf die Glaswand zu, um dann
eine Haaresbreite davor anzuhalten und sanft
rückwärts zu schwingen, wahrhaftig, es schien
vom Meer geschaukelt und wir mit ihm; mir war
das völlig rätselhaft, und Novecento spielte, er
spielte ununterbrochen, und offensichtlich war es
auch so, daß er nicht nur *spielte,* sondern das
Klavier *lenkte,* klar? Mit den Tasten, mit den Tönen, ich weiß nicht wie, lenkte er es, wohin er
wollte, es war völlig absurd, aber so war es. Während wir uns um die Tische drehten, dicht an

~ ~ ~ ~ ~ ~ ~ ~ ~

Leuchten und Sesseln vorbeiglitten, wurde mir bewußt, daß das, was wir in jenem Augenblick taten, was wir *wirklich* taten, ein Tanz mit dem Ozean war, er und wir, verrückte, perfekte Tänzer, vereint in einem nächtlichen Walzer auf dem goldenen Parkett. Oh yes.

(Er beginnt, sich mit glücklicher Miene in immer größeren Kreisen über die Bühne zu schwingen, während der Ozean brüllt, das Schiff schlingert und die Klaviermusik eine Art Walzer diktiert, der mit verschiedenen Klangeffekten anschnellt, abbremst, kreist und dadurch den »großen Tanz« lenkt. Nach weiteren akrobatischen Drehungen landet er nach einem falschen Manöver in den Kulissen. Die Musik versucht »zu bremsen«, aber zu spät. Der Sprecher kann gerade noch ausrufen:)

»Oh, Herrgott ...«

(und verschwindet hinter den Kulissen, wobei er gegen etwas prallt. Man hört ein lautes Geklirr, so als ob Fensterscheiben zu Bruch gingen oder eine Theke oder ein Salon, irgend etwas. Großes Durcheinander. Kurze Pause und Stille. Aus der-

~ ~ ~ ~ ~ ~ ~ ~ ~

selben Seitenkulisse betritt der Schauspieler langsamen Schrittes erneut die Bühne.)

Novecento meinte, daß der Trick noch perfektioniert werden müsse. Daraufhin sagte ich, es würde wohl ausreichen, die Bremsen neu einzustellen. Als der Orkan vorüber war, sagte der Kapitän *(sehr deutlich und sehr laut)*:

»Zum Teufel mit euch beiden, ihr haut jetzt ab in den Maschinenraum und rührt euch nicht vom Fleck, sonst bringe ich euch eigenhändig um, und damit das klar ist, ihr bezahlt das alles hier bis zum letzten Pfennig, und wenn ihr euer Leben lang schuften müßt, so wahr dieses Schiff *Virginian* heisst und ihr die grössten Dummköpfe seid, die das Meer je gesehen hat!«

In jener Nacht unten im Maschinenraum wurden Novecento und ich Freunde. Innige Freunde. Für immer. Die ganze Nacht verbrachten wir damit, in Dollars auszurechnen, was wir alles kaputtgemacht hatten. Je höher die Summe wurde, um so mehr lachten wir. Wenn ich daran zurückdenke, glaube ich, das war, was man Glücklichsein nennt. Oder so was ähnliches.

In derselben Nacht fragte ich ihn, ob sie denn

~ ~ ~ ~ ~ ~ ~ ~ ~

wahr sei, die Geschichte von ihm und dem Schiff, also, daß er darauf geboren war und so ... und ob er es wirklich nie verlassen hatte. Er antwortete: »Ja.«

»*Wirklich* wahr?«

Er war sehr ernst.

»Wirklich wahr.«

Ich weiß nicht, aber in dem Moment spürte ich, ohne es zu wollen, und auch nur ganz kurz, ich weiß auch nicht warum, einen Schauer: einen Angstschauer.

Angst.

Einmal fragte ich Novecento, woran er dächte, wenn er spielte und was er sah, wenn er dabei immerfort vor sich hinstarrte, wo er eigentlich mit den Gedanken war, während seine Hände über die Tasten glitten. Er sagte:

»Heute war ich in einem wunderschönen Land, die Haare der Frauen dufteten so gut, überall war es hell und voller Tiger.«

Er reiste.

Und jedesmal reiste er woanders hin: in die Londoner City oder per Eisenbahn übers Land, auf einen Berg, der so hoch war, daß man bis zum Bauch im Schnee stand oder in die größte Kirche

~ ~ ~ ~ ~ ~ ~ ~ ~

der Welt, um die Pfeiler zu zählen und den Kru-
zifixen ins Antlitz zu schauen. Er reiste. Es war
nicht leicht, sich vorzustellen, was er wohl über
Kirchen, über Schnee und Tiger wissen könnte ...,
ich meine, er war ja noch nie weg gewesen vom
Schiff, nicht ein einziges Mal, so war's doch wirklich. Niemals von Bord gegangen. Und doch war
es, als hätte er alles gesehen, alles was er erzählte.
Novecento war einer, der, wenn jemand ihm erzählte: »Ich war mal in Paris«, gleich nachfragte,
ob man denn auch die Soundso-Gärten besichtigt
und in einem bestimmten Restaurant gegessen
hätte, er wußte alles und brachte es fertig zu erklären: »Am schönsten ist es dort, wenn man bei
Sonnenuntergang auf dem Pont Neuf spazieren-
geht, wenn unter einem die Boote vorbeifahren
und man ihnen zuwinkt.«

»Novecento, sag, warst du schon mal in Paris?«

»Nein.«

»Ja, dann ...«

»Das heißt ... doch.«

»Was doch?«

»Paris.«

Man konnte denken, er wäre verrückt. Aber

~ ~ ~ ~ ~ ~ ~ ~ ~

das wäre zu einfach. Wenn einer ganz genau erklären kann, wie es sommertags in der Bertham
Street riecht, wenn es aufhört zu regnen, kann
man nicht einfach behaupten, er sei verrückt, nur
weil er nie in der Bertham Street gewesen ist.
In irgend jemandes Augen oder Worten hatte er
diesen Geruch tatsächlich eingeatmet. Auf seine
Weise, aber tatsächlich. Gut, die Welt selbst hatte
er nie gesehen. Aber seit siebenundzwanzig Jahren war die Welt auf dem Schiff, und seit eben-
diesen siebenundzwanzig Jahren beobachtete er
die Welt auf dem Schiff. Und saugte sie in sich
auf.

Darin war er ein Genie, das mußte man zuge-
ben. Er konnte zuhören, er konnte lesen. Nicht in
Büchern, das kann jeder, er las in den Menschen,
in dem, was sie in sich trugen: Orte, Geräusche,
Gerüche, ihr Land, ihre Geschichte ... alles stand
in ihnen geschrieben. Er las und registrierte, ord-
nete alles mit größter Sorgfalt ... Jeden Tag fügte
er der immensen Landkarte, die er in seinem
Kopf gezeichnet hatte, ein kleines Stück hinzu,
bis sie die ganze Erde umfaßte, von einem Pol
zum anderen, mit Riesenstädten, schummrigen
Bars, langen Flüssen, Pfützen, Flugzeugen und

~ ~ ~ ~ ~ ~ ~ ~ ~

Löwen, eine wunderbare Weltkarte. Wie ein Gott fuhr er darauf herum, wenn seine Finger in einem zärtlichen Ragtime über die Tasten glitten.

(Eine melancholische Ragtime-Melodie setzt ein.)

Es dauerte Jahre, bis ich eines Tages allen Mut zusammennahm und ihn fragte. Novecento, warum um Gottes willen, verläßt du nicht, und sei es nur ein einziges Mal, das Schiff und schaust sie dir an, die Welt, mit deinen Augen, mit deinen eigenen Augen. Warum bleibst du in diesem schwimmenden Gefängnis, du könntest doch auf deinem Pont Neuf stehen und die Boote vorbeifahren sehen und so weiter, du könntest tun, wozu du Lust hast, du spielst so meisterhaft Klavier, sie würden dir zu Füßen liegen, du würdest einen Haufen Geld verdienen, könntest das allerschönste Haus besitzen, du könntest dir sogar eins in Form eines Schiffes bauen, was wäre schon dabei, aber du könntest es dir bauen, wo du willst, von mir aus inmitten von Tigern oder in der Bertham Street ... Mein Gott, du kannst doch nicht dein ganzes Leben lang hin und her schippern wie ein Idiot ... du bist doch nicht dumm,

~ ~ ~ ~ ~ ~ ~ ~ ~

du bist ein ganz Großer, und da liegt sie vor dir, die Welt, du brauchst nur diese verdammte Treppe runterzugehen, was gehört schon dazu, ein paar Stufen bloß, du lieber Himmel, und dann hast du das alles. Alles. Warum machst du nicht endlich Schluß hier und haust ab? Wenigstens ein einziges Mal.

Novecento, warum tust du es nicht?

Warum?

Warum?

Es war im Sommer, im Sommer des Jahres 1931, als Jelly Roll Morton die *Virginian* betrat. Weißer Anzug, weißer Hut. Und solch einen Diamanten am Finger. Er war einer von denen, die – wenn ein Konzert bevorsteht – auf die Plakate drucken lassen: Heute abend Jelly Roll Morton, der Erfinder des Jazz. Und das nicht einfach so: Er war überzeugt davon, der Erfinder des Jazz zu sein. Er spielte Klavier. Er saß immer nur zu Dreiviertel auf dem Hocker und hatte Hände wie Schmetterlinge. Federleichte Hände. Angefangen hatte er in den Bordellen von New Orleans, dort hatte er auch

~ ~ ~ ~ ~ ~ ~ ~ ~

gelernt, die Tasten zu liebkosen und die Töne zu
streicheln: Die Paare im oberen Stock wollten
keine laute Musik, sondern eine, die hinter den
Vorhängen und unterm Bett dahinschwebte, ohne
zu stören. Er machte solche Musik. Und darin war
er wirklich der Beste.

Irgendwo erzählte ihm eines Tages irgendwer
von Novecento. Wahrscheinlich hatte man ihm
gesagt: Er ist der Größte – oder so ähnlich. Der
beste Pianist der Welt. Das hört sich vielleicht absurd an, aber es könnte so gewesen sein. Er hatte
ja noch nie auch nur einen Ton außerhalb der
Virginian gespielt, und doch war er auf seine
Weise eine berühmte Persönlichkeit zu der Zeit,
eine kleine Legende. Die Leute, die auf dem
Schiff gewesen waren, erzählten von der seltsamen Musik und dem Pianisten, der vierhändig zu
spielen schien. Die wunderlichsten Geschichten
kursierten, manche stimmten sogar, wie zum Beispiel die von dem amerikanischen Senator Wilson, der die ganze Überfahrt in der dritten Klasse
gemacht hatte, weil Novecento dort spielte, wenn
er nicht die gewöhnlichen Töne spielte, sondern
seine eigenen, die so ungewöhnlich waren. Unten
stand ein Klavier, und da ging Novecento nach-

~ ~ ~ ~ ~ ~ ~ ~ ~

mittags oder abends hin. Erst hörte er zu, er wollte, daß die Leute ihm Lieder vorsangen, die sie kannten, manchmal holte einer eine Gitarre hervor oder ein Akkordeon und begann zu musizieren, Melodien zu spielen, die wer weiß woher stammten. Novecento hörte zu. Dann begann er, ganz leicht die Tasten zu berühren, und während die anderen sangen und spielten, glitten seine Finger über die Tastatur, und nach und nach wurde eine Melodie daraus, aus dem schwarzen Klavier kamen Töne, die aus einer anderen Welt herrührten. Alles lag darin: alle Musik der Welt. Man mußte geradezu erstarren davon. Es erstarrte auch Senator Wilson, als er sie hörte. Abgesehen davon, daß er, ein eleganter Herr, sich in der stinkenden dritten Klasse aufhielt, es herrschte wirklich ein schrecklicher Gestank dort, davon also mal abgesehen, mußte man ihn nach dem Anlegen mit Gewalt vom Schiff tragen, denn wäre es nach ihm gegangen, so wäre er für den ganzen verdammten Rest seines Lebens dageblieben, um Novecento spielen zu hören. Wirklich wahr! Die Zeitungen berichteten zwar darüber, aber es war wirklich wahr, es hatte sich wirklich so zugetragen.

~ ~ ~ ~ ~ ~ ~ ~ ~

Jemand ging also zu Jelly Roll Morton und sagte ihm: Auf dem Schiff da ist jemand, der macht mit dem Klavier, was er will. Wenn er Lust dazu hat, spielt er Jazz, und wenn er keine Lust hat, spielt er etwas, das klingt wie zehn Jazzstücke auf einmal. Jelly Roll Morton war ein schwieriger Typ, das war allgemein bekannt. Er sagte: »Wie kann einer gut spielen, wenn er sich noch nicht mal von diesem dämlichen Schiff heruntertraut?« Er lachte sich schier kaputt, der Erfinder des Jazz. Dabei wäre es vielleicht geblieben, wenn nicht jemand gesagt hätte: »Lach du nur, aber wenn der sich entschließt, vom Schiff zu gehen, spielst du ab sofort wieder im Bordell, so wahr mir Gott helfe, im Bordell.« Jelly Roll hörte auf zu lachen, zog eine kleine Pistole mit Perlmuttkolben aus der Tasche und zielte auf den Kopf desjenigen, der gesprochen hatte, schoß aber nicht: »Wo liegt der Scheißdampfer?«

Er plante ein Duell. Wie das damals üblich war. Sie forderten sich gegenseitig so lange mit ihren Bravourstücken heraus, bis einer siegte. Musiker unter sich. Kein Blutvergießen, aber eine Menge Haß, richtiger Haß, der unter die Haut geht. Musik und Alkohol. So ein Duell konnte

47

~ ~ ~ ~ ~ ~ ~ ~ ~

auch die ganze Nacht dauern. Und genau das
hatte Jelly Roll im Sinn, um der Geschichte um
diesen Ozeanpianisten und dem ganzen Unsinn
ein für allemal ein Ende zu bereiten. Ein für allemal.

Das Problem war, um es gleich zu sagen, daß
Novecento niemals spielte, wenn das Schiff im
Hafen lag, er wollte das nicht. Für ihn waren die
Häfen schon ein bißchen Festland, und das paßte
ihm nicht. Er spielte, wo *er* wollte. Und das war
draußen auf dem Meer, wenn das Land nur noch
als ferne Lichter zu sehen und nur noch Erinnerung oder Hoffnung war. So war er eben. Jelly
Roll Morton fluchte tausendmal, bezahlte dann
aus eigener Tasche ein Ticket nach Europa und
zurück und bestieg die *Virginian*, ausgerechnet
er, der noch nie einen Fuß auf ein Schiff gesetzt
hatte, das nicht den Mississippi rauf- und runter-
fuhr. »Das ist das Idiotischste, was ich je in meinem Leben gemacht habe«, sagte er, immer noch
fluchend, zu den Journalisten, die ihn in Boston
an Mole vierzehn verabschiedeten. Dann schloß
er sich in seine Kabine ein und wartete, bis das
Land nur noch ferne Lichter und Erinnerung
und Hoffnung war.

~ ~ ~ ~ ~ ~ ~ ~ ~

Novecento interessierte das alles nicht beson-
ders. Er verstand auch nicht recht, was das sollte.
Ein Duell? Warum denn das? Aber er war neu-
gierig. Er wollte doch gern hören, wie zum Teufel
dieser Entdecker des Jazz spielte. Er sagte das
nicht im Scherz, er war überzeugt, daß dieser
Mann tatsächlich der Erfinder des Jazz war. Ich
schätze sogar, er wollte von ihm lernen. Etwas
Neues. So war er. Ein bißchen wie der alte
Danny: Er verstand den Sinn eines solchen Wett-
kampfes gar nicht, und es war ihm auch scheiß-
egal, wer siegte. Auf alles übrige war er gespannt.
Auf all das andere drumherum.

Die *Virginian* fuhr mit einer Geschwindigkeit
von zwanzig Knoten in Richtung Europa, als am
zweiten Tag der Seereise, um 21 Uhr 37, Jelly Roll
Morton in einem sehr eleganten schwarzen Anzug im Tanzsaal der ersten Klasse erschien. Ein
jeder wußte, was er zu tun hatte. Die Tänzer hiel-
ten ein, wir von der Band legten die Instrumente
hin, der Barmann mixte einen Whisky, die Gäste
verstummten. Jelly Roll nahm den Whisky, ging
auf das Klavier zu und blickte Novecento in die
Augen. Er sagte kein Wort, aber es klang wie:
»Steh auf.«

~ ~ ~ ~ ~ ~ ~ ~ ~

Novecento stand auf.

»Sie sind derjenige, der den Jazz erfunden hat, nicht wahr?«

»Genau. Und du bist der, der nur spielt, wenn er den Ozean unter dem Arsch hat, stimmt's?«

»Stimmt.«

Sie hatten sich einander vorgestellt. Jelly Roll zündete eine Zigarette an, legte sie auf die Kante des Klaviers, setzte sich und begann zu spielen. Ragtime. So etwas meinte man nie zuvor gehört zu haben. Er spielte nicht, er glitt über die Tastatur. Es war wie ein Seidendessous, das einer Frau tanzend vom Körper glitt. In dieser Musik waren alle Bordelle Amerikas enthalten, die Luxusbordelle wohlgemeint, in denen selbst noch die Garderobenfrauen Schönheiten sind. Jelly Roll schloß mit einer Vernetzung unsichtbarer kleiner Töne ganz hoch, ganz oben auf der Tastatur, ein winziger Perlenfall auf Marmorboden. Die Zigarette lag immer noch auf dem Klavier, halb verglommen inzwischen, die Asche hing noch daran. Man hätte meinen können, sie wollte nicht herunterfallen, um nicht zu stören.

Jelly Roll nahm die Zigarette zwischen die Finger, er hatte Hände wie Schmetterlinge, er nahm

~ ~ ~ ~ ~ ~ ~ ~ ~

also die Zigarette, und die Asche blieb dran. Sie
wollte einfach nicht herunterfallen, vielleicht war
auch ein Trick dabei. Jedenfalls blieb sie dran.
Der Erfinder des Jazz stand auf, ging auf Novecento zu, hielt ihm die Zigarette mit der ganzen
schönen ordentlichen Asche unter die Nase und
sagte:

»Du bist dran, Seemann.«

Novecento lächelte. Ihm gefiel das alles. Im
Ernst. Er setzte sich ans Klavier und machte das
Dümmste, was er tun konnte. Er spielte *Komm
zurück, mein Entchen*, ein schrecklich idiotisches
Lied, Kinderkram, das er vor Jahren mal von
einem Emigranten gehört und behalten hatte. Es
gefiel ihm, wahrhaftig, ich weiß wirklich nicht,
was er daran fand, aber es gefiel ihm, und er fand
es unglaublich rührend. Nun, es war sicher nicht
das, was man als ein Bravourstück bezeichnen
konnte. Das hätte sogar ich vortragen können. Er
spielte es so, daß er ein bißchen mit den Bässen
herumklimperte, einige Variationen einfließen
ließ, etwas von sich aus einfügte, dennoch, es war
nun mal ein idiotisches Stück und das blieb es
auch. Jelly Roll sah aus wie einer, dem man die
Weihnachtsgeschenke geklaut hatte. Er blitzte

~ ~ ~ ~ ~ ~ ~ ~ ~

Novecento mit Wolfsaugen an und setzte sich
wieder ans Klavier. Er ließ einen Blues los, der
selbst einen deutschen Maschinisten zum Weinen
gebracht hätte, die ganze Baumwolle aller
Schwarzen der ganzen Welt war hier vereint, und
er erntete sie, mit allen Tönen. Man hätte ihm
die eigene Seele verkauft. Alle standen auf. Sie
schluchzten und klatschten. Jelly Roll machte
noch nicht einmal die Andeutung einer Verbeu-
gung, gar nichts, es war ihm anzumerken, daß er
so langsam die Nase gründlich voll hatte von der
ganzen Sache.

Novecento war wieder an der Reihe. Es fing
schon schlecht an, denn als er sich setzte, hatte er
zwei dicke Tränen in den Augen wegen des Blues,
so sehr war er ergriffen, was man ja auch verstehen kann. Das Absonderlichste war das, was er
vorhatte zu spielen, bei all der Musik, die er im
Kopf und in den Händen hatte: den Blues nämlich, den er soeben gehört hatte. »Der war so
schön«, sagte er mir später, am nächsten Tag, um
sich zu rechtfertigen, man stelle sich das vor. Er
hatte wirklich nicht die leiseste Ahnung davon,
was ein Duell war, nicht die leiseste. Er spielte
den Blues noch mal. Zudem hatte dieser sich in

~ ~ ~ ~ ~ ~ ~ ~ ~

Novecentos Kopf in eine Reihe von sehr langsamen Akkorden verwandelt, die er einen nach
dem anderen, wie in einer tödlich langweiligen
Prozession, abspulte. Er saß zusammenge-
krümmt über der Tastatur, genoß jeden einzel-
nen dieser seltsamen Akkorde, auch die dishar-
monischen, er genoß das alles. Die Zuhörer weniger. Als er fertig war, gab es sogar ein paar Pfiffe.

An dem Punkt verlor Jelly Roll Morton endgültig die Geduld. Er ging nicht zum Klavier, er
sprang förmlich drauf. Zu sich selbst, aber doch so
deutlich, daß alle es verstehen konnten, raunte er:
»Leck mich doch am Arsch, du Scheißkerl.«

Und begann zu spielen. Spielen ist nicht das
richtige Wort. Ein Jongleur war er. Ein Akrobat.
Alles, was man mit einer Tastatur und achtundachtzig Tasten machen kann, machte er. Mit einer
wahnsinnigen Geschwindigkeit. Ohne auch nur
einen falschen Ton anzuschlagen, ohne auch nur
einen Gesichtsmuskel zu bewegen. Das war schon
keine Musik mehr, das war ein Zauberkunststück,
richtige Magie. Ein Wunderwerk, da gab es gar
nichts. Ein Wunder. Die Zuhörer führten sich auf
wie die Wilden. Sie brüllten und klatschten, so
was hatten sie noch nie erlebt. Ein Zirkus wie zu

~ ~ ~ ~ ~ ~ ~ ~ ~

Silvester. In dem Getöse stand plötzlich Novecento vor mir: Die Enttäuschung stand ihm ins
Gesicht geschrieben. Und ein wenig Verwunde-
rung. Er sah mich an und sagte: »Der ist ja wohl
total bescheuert ...«

Ich gab keine Antwort. Was sollte ich auch antworten. Er beugte sich zu mir rüber und sagte:
»Gib mir eine Zigarette, komm schon ...«

Ich war so verdutzt, daß ich eine herausnahm
und sie ihm gab. Will sagen: Novecento war
Nichtraucher. Er hatte noch nie geraucht. Er
nahm die Zigarette, drehte sich um und setzte
sich ans Klavier. Es dauerte eine Weile, bis sie im
Saal gemerkt hatten, daß er sich da hingesetzt
hatte und wohl spielen wollte. Es fielen auch
einige deftige Bemerkungen, manche lachten,
andere pfiffen, die Leute sind so, sie behandeln
Verlierer meist schlecht. Novecento wartete ge-
duldig, daß es etwas ruhiger wurde. Dann warf er
Jelly Roll, der an der Bartheke Champagner
trank, einen Blick zu und sagte gemessen:

»Du hast es so gewollt, du Scheißpianist.«

Er legte die unangezündete Zigarette auf der
Kante des Klaviers ab.

Und begann.

~ ~ ~ ~ ~ ~ ~ ~ ~

*(Ein außerordentlich virtuoses Stück, vielleicht
vierhändig gespielt, erklingt. Es dauert nicht länger als eine halbe Minute und endet mit einer Flut
von Fortissimo-Akkorden. Der Darsteller schweigt
bis zum Schluß des Stücks und fährt dann fort:)*

So.

Das Publikum sog alles mit angehaltenem
Atem ein. Atemlos stierten sie auf das Klavier,
mit offenen Mündern, wie völlige Idioten. So ver-
harrten sie, ganz stumm, wie in Trance, selbst
nach dem Finale mit den Fortissimo-Akkorden,
bei dem man glauben mußte, er hätte hundert
Hände und das Klavier müßte jeden Augenblick
explodieren. In diese völlige Stille hinein erhob
sich Novecento, nahm die Zigarette, beugte sich
etwas vor und hielt sie an die Saiten.

Ein leises Zischen.

Er holte die Zigarette hervor, sie brannte.

Ich schwöre,

sie brannte.

Novecento hielt sie in der Hand wie eine Kerze.
Er rauchte ja nicht, wußte sie auch nicht richtig
zu halten. Er macht ein paar Schritte auf Jelly
Roll Morton zu und reichte ihm die Zigarette.

~ ~ ~ ~ ~ ~ ~ ~ ~

»Rauch du sie. Ich kann das nicht.«

Da erwachte das Publikum aus seiner Trance.

Was dann folgte, war tosender Jubel, ein Ge-
klatsche und Gejohle, ein Getöse, wie man es
noch nie erlebt hatte. Alle kreischten, wollten Novecento anfassen, ein allgemeiner Tumult, es ging
drunter und drüber. Ich schaute zu Jelly Roll
Morton, sah, wie er nervös an der verdammten
Zigarette sog, nicht wußte, was für ein Gesicht er
machen sollte und es auch nicht herausfand, er
wußte nicht einmal, wo er hingucken sollte, auf
einmal fing seine Schmetterlingshand an zu zit-
tern, sie zitterte wirklich, und ich sah, nie werde
ich das vergessen, daß sie so sehr zitterte, daß die
Asche von der Zigarette herunterfiel, erst auf seinen schönen schwarzen Anzug, dann weiter auf
seinen rechten Schuh, auf den glänzenden
schwarzen Lacklederschuh, dort lag sie wie eine
Schneeflocke. Er schaute hin, das weiß ich noch
ganz genau, schaute auf den Lack und die Asche
und begriff, was zu begreifen war; er begriff,
drehte sich um die eigene Achse und langsamen
Schrittes, Fuß vor Fuß setzend, so langsam, daß
die Asche auf seinem schwarzen Lackschuh lie-
genblieb, schritt er durch den großen Saal und

~ ~ ~ ~ ~ ~ ~ ~ ~

ging hinaus, mit seinen schwarzen Lackschuhen und auf dem einen eine weiße Flocke, die er mit sich forttrug und in der verewigt war, wer gesiegt hatte, und daß er es nicht war.

Jelly Roll Morton schloß sich für den Rest der Überfahrt in seiner Kabine ein. In Southampton verließ er die *Virginian* und fuhr am darauffolgenden Tag gleich wieder nach Amerika zurück. Mit einem anderen Schiff. Von Novecento und all dem wollte er nichts mehr wissen. Er wollte nur noch zurück, sonst nichts. Von der Brücke der dritten Klasse aus, an die Bordwand gelehnt, sah Novecento zu, wie er ausstieg in seinem schönen weißen Anzug, mit all seinen schönen Koffern aus hellem Leder. Ich erinnere mich, daß er lediglich bemerkte:

»In den Arsch auch mit dem Jazz.«

Liverpool New York Liverpool Rio de Janeiro Boston Cork Lissabon Santiago de Chile Rio de Janeiro Antillen New York Liverpool Boston Liverpool Hamburg New York Hamburg New York Genua Florida Rio de Janeiro Florida New York Genua Lissabon Rio de Janeiro Liverpool Rio de

~ ~ ~ ~ ~ ~ ~ ~ ~

Janeiro Liverpool New York Cork Cherbourg Vancouver Cherbourg Cork Boston Liverpool Rio de Janeiro New York Liverpool Santiago de Chile New York Liverpool, Ozean, mittendrauf. Genau an dieser Stelle fiel das Bild von der Wand.

Das Phänomen mit den Bildern hat mich schon immer beeindruckt. Jahrelang hängt so ein Bild an der Wand, um auf einmal, grundlos, ohne daß etwas geschieht, *rums*, von der Wand zu fallen. Da hängt es an einem Nagel, niemand berührt es, und doch fällt es aus heiterem Himmel, *rums*, herunter wie ein Stein. Völlige Stille, ohne daß sich drumherum etwas bewegt hätte, nicht einmal eine Fliege hatte sich drauf niedergelassen, und es macht *rums*. Es gibt keinen Grund dafür. Warum gerade in dem Augenblick? Man weiß es nicht. *Rums*. Was geht in dem Nagel vor, daß er plötzlich beschließt, es nicht mehr aushalten zu können? Hat er auf einmal ein Seelenleben, der Ärmste? Trifft er Entscheidungen? Hatte er mit dem Bild ausführlich darüber gesprochen, waren sie sich uneins, was zu tun sei, diskutierten sie jeden Abend darüber, seit Jahren schon, bis sie sich auf ein Datum, eine Stunde, eine Minute, einen Augenblick festlegten? Und wenn er kommt,

~ ~ ~ ~ ~ ~ ~ ~ ~

dann *rums*. Oder wußten sie es gar von Anfang an,
die beiden, war es schon so vereinbart, sagte etwa
der Nagel: Also, heute in sieben Jahren, okay, ein-
verstanden am 13. Mai, gegen sechs, oder sagen
wir Viertel vor sechs, abgemacht, gute Nacht,
Nacht. Sieben Jahre später, am 13. Mai, um Viertel
vor sechs: *rums*. Man weiß es nicht. Besser, man
denkt nicht groß darüber nach, sonst wird man
noch irre daran. Wenn ein Bild herunterfällt.
Oder: Eines Morgens wirst du wach, und du liebst
sie auf einmal nicht mehr. Du schlägst die Zeitung
auf und liest, es ist Krieg. Du siehst einen Zug und
weißt, du mußt weg. Du schaust in den Spiegel
und bist plötzlich alt. So hob Novecento mitten im
Ozean den Blick von seinem Teller und sagte: »In
drei Tagen gehe ich in New York von Bord.«

Es verschlug mir die Sprache.

Rums.

Nun kann man einem Bild keine Fragen stellen. Wohl aber Novecento. Zunächst ließ ich ihn
eine Zeitlang in Ruhe, dann fing ich an, ihm zu-
zusetzen, ich wollte es herauskriegen, es mußte
doch einen Grund dafür geben, daß jemand nach
zweiunddreißig Jahren auf dem Schiff eines Tages aus heiterem Himmel von Bord geht, als ob

~ ~ ~ ~ ~ ~ ~ ~ ~

nichts wäre, ohne seinem besten Freund den An-
laß dafür zu nennen, ohne ihm zu sagen, warum.

»Ich muß mir was ansehen, von da unten«, erklärte er mir.

»Was ansehen?« Er wollte es nicht sagen, was
man auch verstehen kann, denn als er es schließlich sagte, da sagte er:

»Das Meer.«

»Das Meer?«

»Das Meer.«

Man stelle sich vor. Alles hätte man sich denken können, nur das nicht. Es war kaum zu glauben und klang sehr nach Verarschung. Ich
konnte es einfach nicht fassen. Der größte Scheiß
des Jahrhunderts.

»Du siehst das Meer seit zweiunddreißig Jahren, Novecento.«

»Von hier aus. Ich will's von da aus sehen. Das
ist was anderes.«

Himmel noch mal, ich kam mir vor, als sprä-
che ich mit einem Kind.

»Gut, dann warte, bis wir im Hafen sind, du
beugst dich über die Reling und schaust es dir genau an. Das ist das gleiche.«

»Das ist nicht das gleiche.«

~ ~ ~ ~ ~ ~ ~ ~ ~

»Wer sagt das?«

Jemand namens Baster, Lynn Baster, hatte ihm
das gesagt. Ein Bauer. Einer von denen, die vier-
zig Jahre lang wie die Maultiere schuften und nie
was anderes sehen als ihr Feld und vielleicht
noch an zwei oder drei Feiertagen die nächste
größere Stadt. Die Dürre hatte ihn um den Ertrag
gebracht, seine Frau war mit dem Prediger ir-
gendeiner Kirche davongelaufen, das Fieber
hatte ihm die Söhne genommen, alle beide. Also
einer, der unter keinem guten Stern stand. Eines
Tages hatte er seine Siebensachen gepackt, um zu
Fuß durch England bis nach London zu laufen.
Da er von Straßen nicht viel Ahnung hatte, war
er statt in London in einem nichtssagenden Kaff
gelandet, von wo aus man allerdings hinter zwei
Kurven und nach Umgehung eines Hügels ur-
plötzlich das Meer vor sich hatte. Er hatte es zuvor nie gesehen und war wie vom Blitz getroffen.
Das Meer hatte ihn gerettet, wenn man seinen
Worten Glauben schenken soll. Er sagte: »Es ist
wie ein gigantischer Schrei, es brüllt und brüllt
und brüllt: ›Verflixte Schweinebande, das Leben
ist ein Riesending, wollt ihr das endlich kapie-
ren? Ein Riesending.‹« So hatte er, Lynn Baster,

~ ~ ~ ~ ~ ~ ~ ~ ~

vorher nie darüber nachgedacht. Es war nie vor-
gekommen, daß er so was gedacht hatte. Es war
wie eine Revolution in seinem Kopf.

Vielleicht dachte auch Novecento ... solche Gedanken waren ihm bis dahin vielleicht auch nie
gekommen, das Leben ist ein Riesending. Möglicherweise vermutete er so etwas, aber niemand
hatte es ihm je zugeschrien. Er ließ sich die Geschichte vom Meer und so fort tausendmal von Baster erzählen, und schließlich entschloß er sich, es
auch auszuprobieren. Als er mir das alles erklärte,
hätte man meinen können, er wollte mir den Vier-
taktmotor erklären, so wissenschaftlich tat er.

»Ich kann natürlich auch hier oben bleiben,
aber das Meer wird mir nie so etwas zuschreien.
Deshalb gehe ich von Bord, lebe ein paar Jahre
auf dem Land und vom Land, werde ein norma-
ler Mensch, und eines Tages ziehe ich los, komme
an irgendeine Küste, erblicke das Meer: und
dann werde ich es brüllen hören.«

Wissenschaftlich. Mir kam es vor wie die wis-
senschaftlichste Scheiße des Jahrhunderts. Ich
hätte ihm das wohl sagen können, aber ich tat es
nicht. So einfach ging das nicht. Ich hatte Novecento nämlich richtig gern, und ich wollte ja

~ ~ ~ ~ ~ ~ ~ ~ ~

selbst, daß er eines Tages von Bord ging und für
das Publikum auf dem Festland spielte, daß er
eine nette Frau heiratete und Kinder hätte, eben
all die Dinge des Lebens, das vielleicht nicht gerade riesig war, aber doch schön, mit ein bißchen
Glück und gutem Willen. Seine Idee mit dem
brüllenden Meer war zwar ein Blödsinn, aber im-
merhin, wenn sich dadurch Novecento bewegen
ließ, von Bord zu gehen, meinetwegen. Womöglich war es gut so. Ich bestätigte ihm, daß seine
Schlußfolgerungen einwandfrei waren. Und daß
ich wirklich froh war. Und daß ich ihm meinen
Kamelhaarmantel schenken würde, dann sähe er
blendend aus, wenn er die Treppe herunterstieg
mit so einem Kamelhaarmantel. Auch er war ein
wenig gerührt: »Du kommst mich doch besu-
chen, oder? An Land ...«

Himmelherrgott, ich hatte einen dicken Kloß
im Hals, es war nicht zum Aushalten, wenn er so
weitermachte, ich hasse Abschiede. Ich lachte, so
gut ich konnte, mir war das alles so peinlich, und
ich sagte, daß ich ihn selbstverständlich besu-
chen würde, daß wir seinen Hund über die Felder
jagen würden, daß seine Frau einen Truthahn
braten würde, ich redete jede Menge dummes

~ ~ ~ ~ ~ ~ ~ ~ ~

Zeug, er lachte und ich auch, aber im Inneren wußten wir beide, daß die Wahrheit eine ganz andere war, die Wahrheit war, daß alles zu Ende ging und daran nichts zu ändern war, daß geschehen mußte, was sich da gerade anbahnte: Danny Boodmann T. D. Lemon Novecento würde an einem Tag im Februar im Hafen von New York die *Virginian* verlassen. Nach zweiunddreißig Jahren, die er auf dem Meer verbracht hatte, würde er an Land gehen, um das Meer zu sehen.

(Ein altmodisches Tanzlied wird gespielt. Der Sprecher verschwindet im Dunkeln. Als er wieder auftritt, steht er in der Rolle von Novecento auf der obersten Stufe einer Schiffstreppe. Kamelhaarmantel, Hut, großer Koffer. Es ist windig. Er bleibt kurz stehen und schaut bewegungslos nach vorne. Er schaut auf New York. Dann nimmt er die erste Stufe, die zweite, die dritte. Die Musik bricht schroff ab, und Novecento bleibt ebenso brüsk stehen. Der Sprecher nimmt den Hut ab und wendet sich ans Publikum.)

Bei der dritten Stufe blieb er jäh stehen.

~ ~ ~ ~ ~ ~ ~ ~ ~

»Was ist? Ist er in Hundescheiße getreten?«
fragte Neil O'Connor, der war nämlich Ire und
verstand nie, was los war, ließ aber keine Gele-
genheit aus, Witze zu reißen.

»Er wird etwas vergessen haben«, sagte ich.

»Was denn?«

»Was weiß denn ich ...«

»Vielleicht hat er vergessen, warum er von
Bord geht.«

»Red keinen Quatsch.«

Er stand immer noch an der gleichen Stelle,
einen Fuß auf der zweiten und einen auf der dritten Stufe. Eine Ewigkeit lang blieb er oben stehen. Er schaute nach vorne, als suche er etwas.
Schließlich machte er etwas Komisches. Er nahm
den Hut ab, streckte ihn weit über das Geländer
des Landesteges und ließ ihn fallen. Er sah aus
wie ein erschöpfter Vogel oder ein blauer Pfannkuchen mit Flügeln. Nach ein paar Schwüngen in
der Luft fiel der Hut ins Wasser. Da er nicht un-
terging, war er wohl doch eher ein müder Vogel
als ein Pfannkuchen. Als wir wieder zur Treppe
guckten, sahen wir, wie Novecento in seinem Kamelhaarmantel, in *meinem* Kamelhaarmantel,
die beiden Stufen wieder hinaufging, die Welt

~ ~ ~ ~ ~ ~ ~ ~ ~

hinter sich lassend und mit einem sonderbaren
Lächeln auf den Lippen. Noch zwei Schritte, und
er verschwand im Schiffsbauch.

»Hast du gesehen? Der neue Klavierspieler ist
da«, sagte Neil O'Connor.

»Man sagt, er sei der Beste«, antwortete ich.
Und wußte nicht, ob ich traurig oder überglück-
lich sein sollte.

Was er von dieser verdammmten dritten Stufe
aus gesehen hatte, wollte er mir nicht erzählen.
An dem Tag und während der zwei folgenden
Überfahrten benahm sich Novecento etwas son-
derbar, er sprach weniger als sonst, eine sehr per-
sönliche Angelegenheit schien ihn stark zu be-
schäftigen. Wir stellten keine Fragen. Er tat, als
ob nichts sei. Man merkte, daß er nicht ganz der
alte war, aber wir wollten ihn nicht fragen. So
ging es ein paar Monate. Eines schönen Tages trat
Novecento in meine Kabine und sagte, ohne Luft
zu holen, an einem Stück: »Danke für den Mantel, er stand mir hervorragend, schade drum, ich
hätte eine gute Figur darin abgegeben, aber es ist
besser so, es ist vorbei, denk nicht, ich sei unglücklich, ich werde es nie mehr sein.«

~ ~ ~ ~ ~ ~ ~ ~ ~

Ich war mir gar nicht sicher, daß er je unglücklich gewesen war. Er gehörte nicht zu den Menschen, von denen du dich fragst, ob sie glücklich
sind oder nicht. Er war Novecento, basta. Es kam
einem gar nicht der Gedanke, sich zu fragen, ob
er etwas mit Glück zu tun hatte oder mit
Schmerz. Er stand über allem, war unantastbar.
Er und seine Musik: nichts anderes zählte.

»Denk nicht, ich sei unglücklich, ich werde es
nie mehr sein.« Dieser Satz bestürzte mich. Er
machte nicht den Eindruck, als ob er scherzte, als
er das sagte. Vielmehr wie einer, der genau weiß,
wo er hinwollte. Und der sein Ziel erreichen
würde. Das war genau so, wie wenn er sich ans
Klavier setzte und mit Spielen loslegte, da waren
auch keine Zweifel in seinen Händen, die Tasten
schienen auf die Töne nur so zu warten, nur zu
dem Zweck waren sie da. Man meinte, er impro-
visierte aus dem Stegreif, aber in Wirklichkeit
warteten die Töne in seinem Kopf nur darauf, gespielt zu werden.

Heute weiß ich, daß Novecento an jenem Tag
beschlossen hatte, sich vor die schwarzweiße Tastatur seines Lebens zu setzen und eine geniale,
absurde Musik zu spielen, eine komplizierte, doch

~ ~ ~ ~ ~ ~ ~ ~ ~

wunderbare Musik, die größte von allen. Und daß er zu dieser Musik für den Rest seiner Tage tanzen und nie mehr unglücklich sein würde.

Ich verließ die *Virginian* am 21. August 1933. Sechs Jahre zuvor war ich an Bord gekommen. Doch mir war, als hätte ich mein ganzes Leben dort verbracht. Ich ging nicht für einen Tag oder eine Woche von Bord, ich ging endgültig. Mit meinen Entlassungspapieren, der restlichen Heuer und allem. Alles abgerechnet. Mit dem Ozean war ich fertig.

Nicht, daß mir das Leben dort nicht gefallen hätte. Es war eine nicht ganz alltägliche Lebensweise, aber es war auszuhalten. Ich konnte mir nur nicht vorstellen, daß es immer so weitergehen würde. Wenn einer Seemann ist, ist das was anderes, das Meer ist sozusagen seine Arbeitsstätte, er kann dableiben, bis er den Hintern zukneift, das ist in Ordnung so. Aber ein Trompeter ... als Trompetenspieler bist du ein Fremder auf dem Ozean und wirst es bleiben. Früher oder später gehst du nach Hause. Ich sagte mir, besser früher.

»Besser früher«, sagte ich zu Novecento, und er

~ ~ ~ ~ ~ ~ ~ ~ ~

verstand. Man merkte ihm an, daß es ihm nicht
recht war, mich endgültig von Bord gehen zu sehen, aber es aussprechen, nein, das tat er nicht.
War auch besser so. Am letzten Abend spielten wir
wieder mal für die Dummköpfe der ersten Klasse.
Als es Zeit für mein Solo war, fing ich zu spielen an
und nach den ersten Tönen merkte ich, wie das
Piano mir folgte, zart flüsternd spielte es mit mir
zusammen. Wir musizierten zusammen weiter,
und ich spielte so gut, wie ich es vermochte, mein
Gott, ich war nicht Louis Armstrong, aber ich
spielte wirklich gut mit Novecento zusammen, der
mir überallhin folgte, wie nur er es verstand. Eine
ganze Weile ließen sie uns so weitermachen, meine
Trompete und sein Klavier, zum allerletzten Mal,
und wir haben uns alles gesagt, was wir uns mit
Worten nie hätten sagen können. Um uns herum
tanzten die Gäste, ohne etwas davon zu bemerken,
was sollten sie auch bemerken, sie wußten ja von
nichts. Sie tanzten weiter, als ob nichts wäre.
Höchstens, daß vielleicht irgend jemand zu jemand anderem sagte: »Guck mal, der mit der
Trompete, komisch, ist der betrunken oder etwa
verrückt? Guck mal, der mit der Trompete, der
weint ja beim Spielen.«

~ ~ ~ ~ ~ ~ ~ ~ ~

Wie es dann mit mir weiterging, nachdem ich
von Bord gegangen war, ist eine andere Geschichte. Vielleicht hätte ja sogar noch etwas Ver-
nünftiges aus mir werden können, wäre nicht
dieser verdammte Krieg dazwischengekommen,
der hatte gerade noch gefehlt. Dadurch war alles
noch viel komplizierter geworden, man kannte
sich überhaupt nicht mehr aus. Man mußte un-
heimlich was auf dem Kasten haben, um sich
darin zurechtzufinden. Es waren Eigenschaften
vonnöten, die ich nicht hatte. Ich konnte Trompete spielen. Man glaubt es kaum, wie unnütz es
ist, Trompete spielen zu können, wenn Krieg
herrscht. Um einen herum. Und auch in dir drin.
Der einen nicht losläßt.

Jedenfalls hörte ich jahrelang weder von der
Virginian noch von Novecento. Nicht, daß ich die
beiden vergessen hätte, ich habe immer wieder
daran zurückgedacht, es passierte mir immer
wieder, daß ich mich fragte: »Wer weiß, was Novecento machen würde, wenn er hier wäre, wer
weiß, was er sagen würde, ›in den Arsch mit dem
Krieg‹ würde er sagen«, doch wenn ich das sagte,
war es nicht das gleiche. Es lief alles so schlecht,
daß ich manchmal die Augen zumachte und wie-

~ ~ ~ ~ ~ ~ ~ ~ ~

der an Bord, wieder in der dritten Klasse war, hörte, wie die Auswanderer Opern sangen und sah Novecento vor mir, wie er irgendwas spielte, ich sah seine Hände, sein Gesicht und den Ozean drumherum. Ich ließ meiner Phantasie freien Lauf und den Erinnerungen, das ist das einzige, was man manchmal tun kann, um sich zu retten, da hilft nichts anderes mehr. Ein Arme-Leute-Trick, der immer funktioniert.

Nun, die Geschichte war vorbei. Aus und vorbei. Eines Tages kam ein Brief von O'Connor, dem Iren, der in einem fort Witze riß. Diesmal war es aber ein ernsthafter Brief. Er schrieb, daß die *Virginian* völlig ramponiert aus dem Krieg zurückgekommen war, nachdem sie als schwimmendes Lazarett gedient hatte und sich in einem derart schlechten Zustand befand, daß man beschlossen hatte, das Schiff zu versenken. In Plymouth hatten sie die letzten paar Leute der Besatzung entlassen und das Schiff mit Dynamit beladen. Früher oder später würde man es aufs offene Meer hinausbringen und: bumm, Ende! Es gab ein P. S., da stand: »Hast du hundert Dollar? Ich schwöre, du kriegst sie wieder.« Und darunter noch ein P. S., da stand: »Novecento ist an Bord geblieben.«

71

~ ~ ~ ~ ~ ~ ~ ~ ~

Tagelang drehte ich den Brief hin und her. Dann nahm ich den Zug nach Plymouth, ging zum Hafen, suchte die *Virginian*, fand sie, gab den Wachen, die dort aufgestellt waren, etwas Geld, ging an Bord, suchte das Schiff von oben bis unten ab, stieg auch in den Maschinenraum, setzte mich auf eine Kiste, die so aussah, als sei sie voller Dynamit, nahm den Hut ab, legte ihn auf den Boden und blieb dort sitzen, in aller Stille und wußte nicht, was ich sagen sollte /

... Regungslos sah ich ihn an, regungslos sah er mich an /

Überall Dynamit, sogar unterm Hintern /

Danny Boodmann T. D. Lemon Novecento /

Man hätte meinen können, er wußte, daß ich kommen würde, so wie er immer schon die Töne kannte, die ich spielen wollte, und ... / Mit diesem Gesicht, das gealtert war, aber auf eine schöne Weise, ohne Müdigkeit darin /

Kein Licht auf dem Schiff, nur das, das von draußen durch die Ritzen schien, wer weiß, wie die Nacht war /

Weiße Hände, korrekt geknöpftes Jackett, glänzende Schuhe /

~ ~ ~ ~ ~ ~ ~ ~ ~

Er war noch an Bord /

Im Halbdunkel sah er aus wie ein Prinz /

Er war noch an Bord, er wollte mit dem Schiff in die Luft gehen, mitten im Ozean /

Das große Finale, all die Zuschauer auf der Mole, entlang der Küste, großes Feuerwerk, adieu, der Vorhang fällt, Rauch und Flammen, eine haushohe Welle, Schluß /

Danny Boodmann T. D. Lemon /

Novecento /

In dem von der Dunkelheit verschlungenen Schiff, die letzte Erinnerung an ihn ist die Stimme, nur noch die, die leise und langsam spricht /

/

/

/

/

/

(Der Sprecher verwandelt sich in Novecento.)

/

/

/

/

Die ganze Stadt ... man konnte ihr Ende nicht sehen ... /

~ ~ ~ ~ ~ ~ ~ ~ ~

Das Ende, bitteschön, dürfte man mal das Ende sehen?

Und der Lärm /

Auf der gottverdammten Treppe … es war sehr schön, das alles … ich fühlte mich großartig in dem Mantel, ich sah blendend aus, und keinen Zweifel hatte ich, selbstverständlich würde ich hinuntergehen, kein Problem /

Mit meinem blauen Hut /

Erste Stufe, zweite Stufe, dritte Stufe /

Erste Stufe, zweite Stufe, dritte Stufe /

Erste Stufe, die zweite /

Nicht das, was ich sah, ließ mich innehalten /

Sondern das, was ich *nicht* sah /

Verstehst du mich, Bruder? *Das, was ich nicht sah* … Ich hielt Ausschau danach, aber in der ganzen unendlichen Stadt gab es alles, außer /

Alles war da /

Nur *kein Ende*. Was ich nicht sah, war, wo das alles endete. Das Ende der Welt /

Denk doch mal: ein Klavier. Die Tasten fangen an, die Tasten hören auf. Du weißt, es sind achtundachtzig, daran ist nicht zu rütteln. Sie sind nicht unendlich. *Du*, du bist ohne Ende, und ohne Ende ist auch die Musik, die du auf den Tasten spielen kannst. Es sind achtundachtzig. Du bist unendlich. *Das* gefällt mir, das ist das Leben. Wenn du aber /

Wenn ich diese Treppe betrete und vor mir /

Wenn ich die Treppe betrete und vor mir entrollt sich eine Tastatur mit Millionen von Tasten, Millionen und Milliarden /

Millionen und Milliarden Tasten, die nie enden, und das ist die wahre Wahrheit, daß sie nie enden und jene Tastatur unendlich ist /

Wenn jene Tastatur also unendlich ist, dann /

Gibt es keine Musik, die du darauf spielen könntest. Dann hast du dich auf den falschen Klavierhocker gesetzt: vor das Klavier, auf dem allein Gott spielt /

Herrje, siehst du die Straßen nicht? /

Nimm nur die Straßen: Tausende davon gibt es, wie bringt ihr da unten es fertig, eine bestimmte einzuschlagen? /

Eine Frau auszusuchen /

Ein Haus, ein Stück eigenes Land, eine Landschaft zum Anschauen, eine Art zu sterben /

Diese ganze Welt /

Die ganze Welt am Hals haben und nicht einmal wissen, wo sie endet /

So viel Welt /

~ ~ ~ ~ ~ ~ ~ ~ ~

Habt ihr eigentlich keine Angst, in tausend Stücke zu zerbersten nur bei dem Gedanken an diese gigantische Welt, nur bei dem Gedanken? Und sie zu erleben ... /

Ich bin auf diesem Schiff geboren. Die Welt kam auch hier vor, aber zu je zweitausend Personen. Und Wünsche gab es hier auch, aber nicht mehr, als zwischen Bug und Heck passen. Du spieltest dein Glück auf einer Tastatur, die ein Ende hatte.

So habe ich es gelernt. Das Festland ist ein zu großes Schiff für mich. Die Überfahrt dauert zu lange. Eine zu schöne Frau. Ein zu starker Duft. Verzeiht mir. Aber ich bleibe hier. Laßt mich zurückgehen.

Bitte /

/

/

/

/

/

Versuch mich zu verstehen, Bruder. Versuch es zu verstehen, wenn du kannst /

Die ganze Welt vor meinen Augen /

Schrecklich, doch schön /

~ ~ ~ ~ ~ ~ ~ ~ ~

Zu schön /

Die Angst holte mich zurück /

Das Schiff, wieder das Schiff und für immer /

Kleines Schiff /

Die Welt vor Augen, jede Nacht, immer wieder /

Gespenster /

Du gehst vor die Hunde, wenn du sie gewähren
läßt /

Die Sehnsucht, hinabzusteigen /

Die Angst, es wahr zu machen /

Zum Verrücktwerden /

Verrückt /

Man mußte etwas unternehmen, und ich hab's
getan /

Erst in Gedanken /

Dann wirklich /

Jeden Tag, jahrelang /

Zwölf Jahre lang /

Milliarden von Augenblicken lang /

Unsichtbar und Schritt um Schritt. /

Ich, der nicht fähig war, dieses Schiff zu verlassen, habe – um mich selbst zu befreien – mein Leben verlassen. Stufe um Stufe. Und jede Stufe bedeutete eine Sehnsucht. Mit jedem Schritt ein
zurückgelassenes Verlangen.

~ ~ ~ ~ ~ ~ ~ ~ ~

Ich bin nicht wahnsinnig, Bruder.

Wir sind nicht wahnsinnig, wenn wir einen Weg finden, um durchzukommen. Wir werden schlau wie hungrige Tiere. Das hat mit Wahnsinn nichts zu tun. Das ist genial, ist Geometrie, Perfektion. Die Sehnsüchte hatten mir fast das Herz zerrissen. Ich hätte ihnen nachgeben können, aber ich habe es nicht geschafft.

Da habe ich sie *verbannt*.

Eine nach der anderen habe ich sie hinter mir gelassen. Geometrie. Ein perfektes Werk. Alle Frauen der Welt habe ich verbannt, indem ich eine ganze Nacht lang für *eine* Frau gespielt habe, *eine einzige*, ihre Haut war durchsichtig, die Finger schmucklos, die Beine schlank, sie wiegte den Kopf zu meiner Musik, ohne zu lächeln, ohne den Blick zu senken, die ganze Nacht lang, als sie aufstand, war nicht sie es, die aus meinem Leben trat, es waren alle Frauen der Welt. Den Vater, der ich niemals sein werde, habe ich verbannt, indem ich ein Kind sterben sah, tagelang neben ihm saß, und nichts von diesem wundersamen, schrecklichen Schauspiel verpaßte, ich wollte der letzte sein, den das Kind im Leben sah, und als es ging und mir in die Augen

~ ~ ~ ~ ~ ~ ~ ~ ~

sah, gingen mit ihm alle meine eigenen Kinder,
die ich nie zeugen würde. Das Land, meinen
Platz irgendwo auf der Welt, habe ich verbannt,
indem ich einem Mann zuhörte, der aus dem
Norden kam, sah dabei das Tal, die Berge
ringsum, den träge vorbeiziehenden Fluß, den
Schnee im Winter, die Wölfe in der Nacht; als der
Mann aufhörte zu singen, hörte auch mein Land
auf, für ewig, wo immer es sich befunden haben
mag. Die Freunde, die ich mir gewünscht hatte,
habe ich verbannt, indem ich für dich und mit dir
gespielt habe, an dem einen Abend damals, in
dem Gesicht, das du machtest, in deinen Augen
habe ich sie gesehen, alle meine geliebten
Freunde, und als du gingst, verließen sie mich
alle. Ich habe dem Staunen Adieu gesagt, als
ich sah, wie die gigantischen Eisberge des Nord-
meers von der Wärme besiegt zusammenbra-
chen, ich habe den Wundern Adieu gesagt, als ich
die lachen sah, die der Krieg gebrochen hatte, ich
habe der Wut Adieu gesagt, als ich sah, wie man
dies Schiff mit Dynamit belud, und der Musik
habe ich Adieu gesagt, meiner Musik, an dem
Tag, als es mir gelang, sie in einem einzigen Ton
eines einzigen Augenblicks zu spielen, und dem

~ ~ ~ ~ ~ ~ ~ ~ ~

Glück habe ich Adieu gesagt, es verbannt, in dem Moment, als ich dich hier eintreten sah. Es ist kein Wahn, Bruder. Nur Geometrie. Präzisionsarbeit. Ich habe den Jammer entwaffnet. Ich habe die Sehnsüchte meines Lebens abgestreift. Wenn du meinen Weg zurückverfolgen könntest, würdest du sie eine nach der anderen wiederfinden, verbannte, erstarrte Sehnsüchte, Markierungen auf dieser seltsamen Reise, von der ich nie jemandem erzählt habe, außer dir /

/

/

(Novecento tritt in den Hintergrund.)

/

/

/

(Er bleibt stehen, dreht sich um.)

Ich stell mir schon vor, wenn ich da oben ankomme, sucht der da meinen Namen in der Liste und kann ihn nicht finden.

»Wie sagten Sie, heißen Sie?«

»Novecento.«

»Nosjinskij, Notabartolo, Novalis, Nozza ...«

»Das ist, weil ich auf einem Schiff geboren bin.«

~ ~ ~ ~ ~ ~ ~ ~ ~

»Wie bitte?«

»Ich bin auf einem Schiff geboren und auch dort gestorben, ich weiß nicht, ob das hier oben bekannt ist ...«

»Untergegangen?«

»Nein, explodiert. Sechseinhalb Zentner Dynamit. Bumm.«

»Aha. Alles in Ordnung jetzt?«

»Ja, ja, bestens ... das heißt ... da wäre noch die Sache mit dem Arm ... ein Arm ist verlorengegangen ... aber man hat mir versichert ...«

»Ein Arm fehlt?«

»Ja, wissen Sie, bei der Explosion ...«

»Da müssen noch zwei herumliegen ... welcher fehlt denn?«

»Der linke.«

»Oje.«

»Was denn?«

»Ich fürchte, es sind nur zwei rechte da.«

»Zwei rechte Arme?«

»Genau. Wäre das ein Problem für Sie ...?«

»Was?«

»Zwei rechte Arme?«

»Ein rechter Arm statt eines linken?«

»Ja.«

~ ~ ~ ~ ~ ~ ~ ~ ~

»Na ja, im Grunde ... besser ein rechter als gar keiner ...«

»Das meine ich auch. Warten Sie einen Augenblick, ich hole einen.«

»Ich kann ja in ein paar Tagen noch mal vorbeikommen, vielleicht kriegen Sie bis dahin einen linken ...«

»Schauen Sie mal, ich habe einen schwarzen und einen weißen ...«

»Nein, nein, wenn schon, dann wenigstens zwei gleiche ... nichts gegen Farbige, es ist nur eine Frage der ...«

So ein Scheißpech. Die ganze Ewigkeit im Paradies mit zwei rechten Händen. *(Näselnd:)* Laßt uns das Kreuzeichen machen. *(Er setzt dazu an, hält inne, schaut auf die Hände.)* Man weiß nie, welchen man nehmen soll. *(Er zögert etwas, macht dann ein flüchtiges Kreuzeichen mit beiden Händen.)* Die ganze Ewigkeit, Millionen Jahre lang, soll ich hier wie ein Narr herumlaufen. *(Er macht wieder das Kreuzeichen mit beiden Händen.)* Die Hölle! Und das im Paradies! Da gibt's gar nichts zu lachen.

~ ~ ~ ~ ~ ~ ~ ~ ~

(Er dreht sich um, um abzugehen, bleibt kurz noch einmal stehen und wendet sich wieder dem Publikum zu, seine Augen glänzen.)

Na ja ... was die Musik betrifft ... mit zwei rechten Händen ... hoffentlich haben sie hier ein Klavier.

(Er wird wieder ernst)

Bruder, du hast Dynamit unterm Hintern. Steh auf und hau ab. Es ist aus. Diesmal ist es wirklich aus.

(Geht ab)

PIPER

Alessandro Baricco
Oceano Mare

Das Märchen vom Wesen des Meeres. Aus dem Italienischen
von Erika Cristiani. 279 Seiten. Geb.

Ein einsamer Maler, der mit Meerwasser das Meer täglich
neu zu malen beginnt. Ein skurriler Wissenschaftler, der für
eine Enzyklopädie die Grenzen des Ozeans festlegen will.
Ein junges Mädchen, das zu zart ist, um zu leben, und zu
lebendig, um zu sterben. Eine schöne Frau, die in der
Abgeschiedenheit des Strandes von der Liebe genesen will.
Sie gehören zu der illustren Gästeschar, die Alessandro
Baricco in der Pension Almayer irgendwo am Meer,
außerhalb jeder Zeit, versammelt hat. Die philosophisch
anregenden Gespräche der hier Gestrandeten und die
geheimnisvolle Atmosphäre dieses symbolträchtigen
Mikrokosmos üben auf den Leser eine einmalige magische
Anziehungskraft aus. »Oceano Mare« ist ein Buch voll
Poesie und Weisheit. Ein Buch über die Sehnsucht nach
Erkenntnis und Wahrheit, Erfüllung und Vollkommenheit.
Ein Buch über Genies, Träumer und Sinnsucher.

Alessandro Baricco

Seide

Roman. Aus dem Italienischen von Karin Krieger. 132 Seiten. SP 2822

Der Seidenhändler Hervé Joncour führt mit seiner schönen Frau Hélène ein beschaulich stilles Leben. Dies ändert sich, als er im Herbst 1861 zu einer langen und beschwerlichen Reise nach Japan aufbricht, um Seidenraupen für die Spinnereien seiner südfranzösischen Heimat zu kaufen. Dort gewinnt er die Freundschaft eines japanischen Edelmanns und begegnet einer rätselhaften Schönheit, die ihn für alle Zeit in den Bann zieht: ein wunderschönes Mädchen, gehüllt in einen Seidenschal von der Farbe des Sonnenuntergangs. Auf jeder Japan-Reise, die er fortan unternimmt, wächst seine Leidenschaft, wird seine Sehnsucht unstillbarer, nie wird er aber auch nur die Stimme dieses Mädchens hören. – In einer schwebenden, eleganten Prosa erzählt Baricco eine Parabel vom Glück und seiner Unerreichbarkeit. Der Leser wird eingehüllt von der zartbitteren Wehmut, die dieses zauberhaft luftige Bravourstück durchzieht.

»Der Roman Alessandro Baricco ist gewebt, wie der Stoff, um den es geht: elegant und nahezu gewichtslos. Die Geschichte ist komponiert wie ein Musikstück, jedes Wort scheint mit Bedacht gewählt, jede Ausschmückung, jedes überflüssige Wort ist fortgelassen. Das schmale Buch bekommt durch diese Reduktion seine außergewöhnliche Dichte, seine kühle, in manchen Passagen spöttische, zugleich seltsam melancholische Stimmung.«
Sabine Schmidt, BücherPick

Land aus Glas

Roman. Aus dem Italienischen von Karin Krieger. 270 Seiten. SP 2930

Ein Buch über die Welt der Sehnsucht und die Welt der Liebe, voller Poesie, Witz und Weisheit. Ein Buch über Zeit und Geschwindigkeit, über Musik und Gefühle, über Genies, Spinner und Erfinder.

Dacia Maraini

Bagheria

*Eine Kindheit auf Sizilien.
Aus dem Italienischen von Sabina
Kienlechner. 171 Seiten. SP 2160*

»›Bagheria‹ ist ein schönes und kluges Buch, ganz fern von allen Klischeevorstellungen vom Tourismus-Sizilien, und dazu ein Buch über eine Vielzahl eigenwilliger und begabter Frauen …«

Die Presse

Die stumme Herzogin

*Roman. Aus dem Italienischen von
Sabina Kienlechner. 342 Seiten.
SP 1740*

»Ein vollkommen geglückter Roman, der ein faszinierendes Frauenleben einer längst untergegangenen Epoche ausbreitet, vor allem aber eine überaus kundige und bewegende Liebeserklärung an das alte Sizilien.«

Die Presse, Wien

Liebe Flavia

*Roman. Aus dem Italienischen von
Viktoria von Schirach. 210 Seiten.
SP 2982*

»Es ist der Kinderblick der Erzählerin, der dem Buch den Ton, die Spannung und auch die Weisheit gibt.«

Henning Klüver

Stimmen

*Roman. Aus dem Italienischen von
Eva-Maria Wagner und Viktoria
von Schirach. 406 Seiten. SP 2462*

»Man möchte Dacia Maraini mit ihrer leicht unterkühlten, stets ein wenig ironischen Schreibweise in eine Reihe stellen mit den großartigen englischsprachigen Kriminalschriftstellerinnen.«

Literatur heute

Nachforschungen über Emma B.

*Aus dem Italienischen von
Sigrid Vagt. 233 Seiten. SP 2649*

Wer war Emma Bovary wirklich? Dieser Frage geht Dacia Maraini nach und wirft ein völlig neues Licht auf den Roman.

Erinnerungen einer Diebin

*Roman. Aus dem Italienischen
von Maja Pflug. Mit einem
Nachwort von Heinz Willi
Wittschier. 383 Seiten. SP 1790*

Fasziniert von der unkonventionellen Art Teresas beschloß Dacia Maraini 1972 über die »Diebin«, die sie bei einem Gefängnisbesuch in Rom kennenlernte, ein Buch zu schreiben.

SERIE
PIPER

Giorgio Bassani

Die Brille mit dem Goldrand

Erzählung. Aus dem Italienischen von Herbert Schlüter. 106 Seiten. SP 417

»Bassani zeigt den lautlosen Fortschritt des Verhängnisses, während sich nach außen hin so wenig ändert – mit dieser Fähigkeit, den wirklichen Gang der Dinge aufzuzeichnen, weist er sich als echter Erzähler aus.«

Franz Tumler

Die Gärten der Finzi-Contini

Roman. Aus dem Italienischen von Herbert Schlüter. 358 Seiten. SP 314

»Mit den ›Gärten der Finzi-Contini‹ legte Bassani seinen ersten Roman vor... eine Meisterleistung. Er liest sich fast wie eine Chronik, die ›Mémoire‹ dreier Jahre im Leben eines jungen Mannes, der zur Jeunesse dorée einer Provinzstadt in Italien, Ferrara, rechnet und plötzlich, 1937, mit der Rassengesetzgebung des Spätfaschismus zum Paria wird. Mit der Präzision eines Archäologen hebt Bassani ein Stück Leben Schicht um Schicht ans Licht.«

Die Welt

Hinter der Tür

Roman. Aus dem Italienischen von Herbert Schlüter. 174 Seiten. SP 386

»Unter den lebenden Erzählern könnte nur noch Julien Green eine solche Verbindung von Zartgefühl und (scheinbar) unbemühter Schlichtheit treffen. Aber Bassani ist ein Julien Green ohne die Rückendeckung des Glaubens. Er unternimmt seinen Rückzug in die vielgeschmähte Innerlichkeit ganz auf eigene Rechnung und tut damit... eher einen Schritt nach vorn, nämlich auf eine Literatur zu, die die Welt nicht nur vermessen will, sondern bereit ist, sie auch in den Antworten zu erkennen und anzuerkennen.«

Günter Blöcker

Der Reiher

Roman. Aus dem Italienischen von Herbert Schlüter. 240 Seiten. SP 630

»Bassani beherrscht die Kunst, seine Personen von sich wegzuschieben und sie quasi in einen Spiegel zu stellen.«

Eugenio Montale

Ferrareser Geschichten

Aus dem Italienischen von Herbert Schlüter. 250 Seiten. SP 430

Giuseppe Tomasi di Lampedusa

Der Leopard

Roman. Aus dem Italienischen
von Charlotte Birnbaum.
198 Seiten. SP 320

»Der Leopard«, der vielen Kritikern als das bedeutendste epische Werk der italienischen Literatur seit Alessandro Manzonis »Verlobten« gilt, schildert den Niedergang eines sizilianischen Adelsgeschlechts zur Zeit Garibaldis. Held und Fixstern des Buches ist Don Fabrizio, Fürst Salina, dessen Dynastie den Leoparden im Wappen führt, ein Olympier von Statur und Geist, leidenschaftlich und von wissender Melancholie überschattet, skeptisch und zuversichtlich zugleich.

Mit der Landung Garibaldis und seiner Rothemden in Marsala bricht selbst für Sizilien, Land archaischer Mythen, ein neues Zeitalter an. Kräfte und Ideen aus dem Norden bringen das uralte Feudalsystem ins Wanken und bereiten die Einigung Italiens vor. Don Fabrizios Neffe, der junge Feuerkopf Tancredi, vom Fürsten geliebt wie sein eigener Sohn, heiratet die schöne Tochter eines skrupellosen Emporkömmlings, der infolge der politischen Umwälzungen zum Millionär, schließlich zum Senator avanciert. Die Leoparden und Löwen sind zum Untergang verurteilt, ihren »Platz werden die kleinen Schakale einnehmen, die Hyänen«. Der Tod Don Fabrizios steht stellvertretend für den Tod einer ganzen Welt, in der das alte Europa noch ein letztes Mal aufglänzt.

»Die Qualität dieses Buches ist so bedeutend, daß es auf keine zeitliche Bedingung angewiesen ist, um auf uns zu wirken. Freilich, die eigentliche Quelle des Entzückens, mit der es uns erfüllt, ist die unbegrenzte Freiheit und Anmut, mit der alles, jeder Gedanke und jede Stimmung, seinen sprachlichen Ausdruck findet.«
Friedrich Sieburg

Die Sirene

Erzählungen. Aus dem
Italienischen von Charlotte
Birnbaum. Mit einem Nachwort
von Giorgio Bassani. 190 Seiten.
SP 422

»Tomasi di Lampedusas zwischen bitterster Ironie und einem voll entfalteten Sprachklang spielende Prosa ist wohl nie so schön, reich, bestrickend gewesen wie in der ›Sirene‹.«
Giorgio Bassani

Francesca Gargallo

Schwestern

Roman. Aus dem Spanischen von Lisa Grüneisen. 166 Seiten.
SP 2380

Begonia läßt nichts unversucht, um neben ihrer bezaubernden Schwester Amalia zu bestehen. Doch so unterschiedlich die beiden Schwestern auch sind, eines haben sie gemeinsam: die Liebe zu demselben Mann, zu Roberto. Er ist wie ein Keil zwischen den Schwestern, aber er vertieft auch ihre Verbindung, denn Begonia ist nicht nur Amalias schärfste Konkurrentin, sondern auch ihre engste Verbündete. Sie wählt bewußt einen anderen Lebensweg, den der engagierten Kämpferin. Doch die tiefe geschwisterliche Verbundenheit endet selbst dann nicht, als Begonia ihre große Liebe Roberto an Amalia verliert. Mit Witz und Verve verfolgt Francesca Gargallo die amourösen und gesellschaftlichen Ver- und Entwicklungen dieser Schwestern über sechzig Jahre und drei Kontinente: magisch, verführerisch und wunderbar lateinamerikanisch.

Pina Mandolfo

Das Begehren

Roman. Aus dem Italienischen von Viktoria von Schirach. 119 Seiten.
SP 2626

Die eine Geschichte beginnt, als die andere Geschichte bereits zu Ende ist: Als von der Liebe nur noch das Gefühl des Verlustes geblieben ist, beginnt der Brief an die frühere Geliebte: »Ich will es wagen und die Wüsten der Erinnerung in Deinem Kopf durchqueren. Du hast Dich mit Gewalt losgerissen, mich ohne Erklärung zurückgelassen. Du hast mich stumm gemacht vor Wut und Schmerz.« Absenderin dieser Zeilen ist eine junge Literaturprofessorin aus Sizilien, Adressatin eine charismatische Künstlerin aus dem Piemont. Zwei Welten prallen aufeinander: die des Südens mit ihrem Duft nach Sonne und Staub und die des kühlen, grünen Nordens. Pina Mandolfo ist mit ihrem von der italienischen Presse gefeierten Erstlingsroman die meisterhafte Beschreibung dessen gelungen, wovon kein Liebender je verschont bleibt: der Schmerz des Verlustes und die widersprüchlichen Gefühle, die er auslöst.

Cristina Comencini

Die fehlenden Tagebuchseiten

Roman. Aus dem Italienischen von Sabina Kienlechner. 219 Seiten. SP 2280

Federica, neunzehn Jahre, jüngste Tochter einer wohlhabenden römischen Familie, ist eine sensible und intelligente Philosophiestudentin – und Sorgenkind der Familie. Zurückgezogen und verschlossen, kompliziert und überempfindlich, verweigert sie sich immer mehr. Einzig ihr Vater, der erfolgreiche Geschäftsmann Guido Forte, hat Zugang zu ihr, hat Federicas Vertrauen. Sie schreiben sich Briefe und kleine Zettelchen. Federicas Zustand verschlimmert sich, sie verbringt die Tage in tiefer Depression im Bett, bis es ihrem Vater gelingt, das Eis zu brechen. Er darf ihr Tagebuch lesen, aus dem zwei Seiten herausgerissen sind. Da erfährt er von Marco und von Federicas Erlebnissen in den Armen dieses zwielichtigen Liebhabers...

Grazia Livi

Geheime Bindungen

Aus dem Italienischen von Maja Pflug. 234 Seiten. SP 2534

In diesen wunderbaren, ganz realistischen Geschichten begegnen wir lauter Männern: einem jungen Gott, einem Verführer, einem Mann in der Ferne, einem Vater aus Papier, einem belauerten Sohn – und Frauen, in deren Blick sie sich spiegeln. Es ist der Blick der Liebe, der Neugier, des Staunens auf das andere Geschlecht, das geheimnisvoll anziehend und fremd zugleich ist. Grazia Livi erzählt alltägliche Geschichten, in denen Männer wie Frauen in typischen, geradezu klassischen Verhaltensweisen gezeigt werden, sie beschreibt Entfernungen und Verluste. Diese poetischen Erkundungen lesen sich wie der unveröffentlichte Katalog eines Don Juan – aber von der anderen Seite gesehen: der Mann in den Augen der Frau.

SERIE

PIPER

Isabella Bossi Fedrigotti

Zwei Schwestern aus gutem Hause

Roman. Aus dem Italienischen von Sigrid Vagt. 240 Seiten.
SP 2182

Liebe, Haß und Eifersucht sind die Gefühle, die die beiden Schwestern Clara und Virginia ein Leben lang verbinden. Gemeinsam in einem großbürgerlichen Südtiroler Landhaus aufgewachsen, könnten sie verschiedener nicht sein: Clara, die jüngere, dunkelhaarig, melancholisch, verschlossen; Virginia dagegen eine blonde Schönheit, lebenshungrig und rebellisch gegen die längst überholte Lebensweise ihres Elternhauses. Doch ist Clara wirklich die Edle, Tugendhafte, die von ihrer leichtlebigen Schwester um das Lebensglück gebracht wurde? Ein raffinierter Frauenroman, ausgezeichnet mit dem Premio Campiello.

»Auffällig ist die von Isabella Bossi Fedrigotti gewählte Form, und man könnte spekulieren, ob hierdurch autobiographische Momente in die Erzählung einfließen. Denn ungewöhnlicherweise ist der erste Lebensrückblick der jüngeren Schwester Clara in der zweiten Person geschrieben, die nachfolgende Lebensgeschichte der Virginia dagegen in der ersten Person, wodurch der Eindruck einer größeren Zuneigung zu ihr vermittelt wird.

Aus dieser erzählerischen Konfrontation resultieren im wesentlichen die Spannung und der Reiz dieses Romans; für den Leser erhellen sich zudem viele Geschehen... Ein versöhnliches Ende, so ahnt man, wird es für die beiden Damen nicht geben.«
Die Welt

Palazzo der verlorenen Träume

Roman. Aus dem Italienischen von Viktoria von Schirach und Barbara Krohn. 240 Seiten.
SP 2718

Liebling, erschieß Garibaldi!

Roman. Aus dem Italienischen von Ursula Lenzin. 204 Seiten.
SP 2331

Mit der romantischen Geschichte ihrer Urgroßeltern schildert Isabella Bossi Fedrigotti die Welt einer Adelsfamilie in politisch brisanter Zeit.

Sandro Onofri

Eines andern Schuld

Roman. Aus dem Italienischen von
Peter Klöss. 239 Seiten. SP 2830

Ein ungewöhnlicher Kriminalroman, angesiedelt im Milieu der Vorstädte von Rom: Nachdem Laura ermordet aufgefunden wurde, ist ihr Ehemann Paolo zunächst der Hauptverdächtige. Und in der Tat hat er, vor Eifersucht und Enttäuschung außer sich, in blinder Wut auf Laura eingeschlagen und sie dann bewußtlos zurückgelassen. Doch immer mehr Indizien sprechen dafür, daß jemand anderes schuld ist an Lauras Tod, und je tiefer Paolo ihr Leben zurückverfolgt, um so deutlicher werden die Verstrickungen aller Beteiligten, die unaufhaltsam in eine Katastrophe führten. Diese Geschichte von Schuld und Sühne, von starken Emotionen und tödlicher Leidenschaft wird auf eindringliche Art erzählt. Mit präziser und zugleich poetischer Sprache zeichnet Sandro Onofri auch ein Bild der italienischen Randgesellschaft.

»Das ist glänzend geschrieben, ein Beziehungs-Thriller ohne billiges Krimi-Brimborium.«
Brigitte

Sebastiano Vassalli

Der Schwan

Roman. Aus dem Italienischen von
Ragni Maria Gschwend.
235 Seiten. SP 2509

Sebastiano Vassalli führt den Leser in seinem literarischen Kriminalroman zurück in die Zeiten der Anfänge der Mafia: Am 1. Februar 1893 wird im Zug nach Palermo der hochangesehene Bankdirektor Marchese Notarbartolo erstochen aufgefunden. Diese Bluttat gilt allgemein als der erste politische Mord der sizilianischen Mafia. Notarbartolo war im Begriff gewesen, in Palermo illegale Machenschaften der Bank zu enthüllen, in die der Ministerpräsident Crispi verwickelt war. Erst Jahre später fällt der Verdacht auf Raffaele Palizzolo, genannt »Il Cigno«, »der Schwan«, Parlamentarier und Möchtegern-Poet, dessen schillernde Persönlichkeit tiefe Einblicke in die Psyche eines Mafioso gewährt.

»Ein in all seiner szenischen Geballtheit spannendes, aufklärendes und auch Nichtitaliener aufstörendes Erzählwerk.«
Neue Zürcher Zeitung

SERIE
PIPER

SERIE
PIPER

Elsa Morante

La Storia

*Roman. Aus dem Italienischen
von Hannelise Hinderberger.
631 Seiten. SP 747*

Während und nach dem Zweiten Weltkrieg ereignet sich das Schicksal der Lehrerin Ida und ihrer beiden Söhne. Elsa Morante entwirft ein figurenreiches Fresko der Stadt Rom mit den flüchtenden Sippen aus dem Süden, dem Ghetto am Tiber, den Kleinbürgern, Partisanen und Anarchisten. Der Roman war neben Tomasi di Lampedusas »Der Leopard« und Ecos »Der Name der Rose« der größte italienische Bestseller der letzten Jahrzehnte.

La Storia das heißt: *Die Geschichte* im doppelten Sinn des Wortes. Elsa Morante breitet in diesem Roman das unvergleichliche und unverwechselbare Leben jener Unschuldigen vor uns aus, nach denen die Historie niemals fragt.

In Italien, in Rom, erleben Ida und ihre beiden Söhne den Faschismus, die Verfolgung der Juden, die Bomben. Nino, der Ältere, der sich vom halbwüchsigen Rowdy zum Partisanen und dann zum Schwarzmarktgauner entwickelt, ist ein strahlender Taugenichts. Sein Bild tritt zurück vor der leuchtenden Gestalt des kleinen Bruders Giuseppe, dem es nicht beschieden ist, in dieser Welt eine Heimat zu finden. Trotzdem ist seine kurze Laufbahn voller Glanz und Heiterkeit. In seiner seltsamen Frühreife besitzt der Junge eine größere Kraft der Erkenntnis als die vielen anderen, die blind durch die Geschichte gehen, eine Geschichte, die alle zu ihren Opfern und manchmal auch die Opfer zu Schuldigen macht.

Der Roman ist in einer dichten und spröden Sprache geschrieben, die den Fluß der Erzählung mit psychologischer und historischer Deutung aufs engste verbindet.

»Diese Geschichte ist der… nein, gewiß nicht ›schönste‹, aber der aufwühlendste, humanste und vielleicht wirklich der größte italienische Roman unserer Zeit.«

Nino Erné in der WELT